LA FONTAINE
UNE ÉCOLE BUISSONNIÈRE

Erik Orsenna, de l'Académie française, est l'auteur d'une œuvre riche, abondante et incroyablement variée tant dans ses propos que dans sa forme. Il est notamment l'auteur de *La grammaire est une chanson douce* (2001, traduit en douze langues) et *Sur la route du papier*, le dernier volume d'une trilogie à succès rendant hommage au coton, à l'eau et au papier.

ERIK ORSENNA
de l'Académie française

La Fontaine

1621-1695
une école buissonnière

STOCK/FRANCE INTER

© Éditions Stock, 2017.
© Éditions France Inter, 2017.
ISBN : 978-2-253-07433-5 – 1re publication LGF

Pour Marc Fumaroli,
avec mon admiration
intimidée.

1

Un petit Jean naît à Château-Thierry

Tous ceux qui ne sont attirés que par le bling-bling et les bulles ne verront dans Château-Thierry (aujourd'hui quatorze mille cent quatre-vingt-neuf habitants) que la porte de la Champagne.

Les autres, ceux qui savent le prix de la flânerie, goûteront fort ce méandre de la Marne, cet étagement de collines coiffées de forêts. Sous cette paix trompeuse de la géographie, ils entendront vite, pour peu qu'ils dressent l'oreille, les bruits de l'Histoire. La rivière à cet endroit devait jadis se franchir à gué. Puisque des hommes passent, il faut bien les nourrir, les héberger, les protéger (ou les rançonner). Ainsi, dès l'époque romaine, naît une ville. Plus tard, sur la hauteur principale, un château s'élèvera. Où, de siècle en siècle, se succéderont des puissants.

D'azur au château de cinq tours couvertes d'argent, ouvert, ajouré et maçonné de sable, accompagné de trois fleurs de lis d'or : le blason de la ville incite à rêver de chevalerie et de Table ronde.

La population vit, et vit bien, d'agriculture et de commerce. On ne sait pourquoi ni comment, une forte communauté juive s'y installe. Au XIIIe siècle, elle crée une école rabbinique qui devient vite célèbre. Samuel d'Évreux en est la figure la plus éclatante. On accourait de partout, et jusque de Tolède, pour entendre ses interprétations du Talmud.

En 1285, avec le comté de Champagne, Château-Thierry rejoint le domaine royal.

Durant la guerre de Cent Ans, le parti anglais occupe la ville. Et la dévaste. Qu'à Dieu grâces soient rendues, Jeanne d'Arc la libère en 1429.

Le temps passe.

Et voici 1621.

En cette année, la Chine s'est placée sous la tutelle du coq. Un peu partout dans le monde, les hommes se battent. Comme d'habitude. Les Mongols contre les Tibétains, les Bataves contre les Espagnols, les Polonais contre les Ottomans, les Suédois contre les Baltes, entre elles les tribus tout autour de Tombouctou…

Les Français n'échappent pas à cette manie de la guerre perpétuelle. Sauf qu'ils y ont ajouté un piment de leur cru : ils n'aiment rien tant que se tuer entre eux. Malgré son jeune âge (vingt ans), Louis XIII, le roi, n'est pas le moins ardent. Il lance ses armées vers le sud de son pays avec mission d'y écraser, une bonne fois pour toutes, ceux qu'on appelle les « protestants ».

Pendant ce temps, les marchands hollandais prospèrent. Ils viennent de créer une compagnie commerciale, dite des « Indes occidentales ». Sur les côtes atlantiques, elle ouvre différents comptoirs, dont La Nouvelle-Amsterdam, qui deviendra New York.

1621.

L'année prochaine, Armand Jean du Plessis, seigneur de Richelieu, sera nommé cardinal et bientôt cumulera tous les pouvoirs.

1621.

À Anvers, Rubens achève son tableau *La Chasse au lion*, l'un de ses chefs-d'œuvre.

Et Pierre Gassendi, mathématicien, philosophe, théologien, astronome, continue de s'émerveiller devant la beauté du ciel : il vient d'expliquer l'origine des aurores boréales.

Pour ce qui concerne le climat, apprenez que l'hiver fut si rude en Provence, cette année-là, que les oliviers y gelèrent.

Le printemps finit par poindre. Puis commença l'été.

C'est alors qu'un beau jour, le huitième de juillet, un enfant choisit de naître.

Rue des Cordeliers.

Paris n'est pas loin de Château-Thierry : cent kilomètres, vers l'est. Cette distance, petite mais tout de même, aura son importance.

2

La Fontaine,
mais n'oublions pas Pidoux

Le père, qu'en ce jour il faut présumer heureux, se nomme Charles de La Fontaine. Le petit Jean est son premier enfant. Il est baptisé en l'église Saint-Crespin, lequel est patron des savetiers. Chez les La Fontaine, on est de bourgeoisie récente, à peine quatre générations, enrichies dans le commerce et notamment celui du drap. Ce début de fortune a permis au grand-père d'acquérir une charge, celle de « maître des Eaux et Forêts ». À ce titre, il surveille et contrôle un territoire à lui confié par le seigneur du lieu. Au fil du temps, les La Fontaine ont acheté des terres. Ils tirent de leurs fermes l'essentiel de leurs revenus. Une charge et des fermes : on n'est pas encore tout à fait noble, mais on s'en rapproche. Encore un effort, La Fontaine !

La mère, prénommée Françoise, mais d'abord née Pidoux, éveille plus notre intérêt. Dès le XIIIe siècle, sa famille n'a cessé d'occuper les plus hautes fonctions : banquiers de princes, évêques, prévôts des marchands... Un Pidoux fut seigneur de Chaillot, un autre liquidateur des biens des Templiers.

Habitant Paris, mais chassés par la guerre de Cent Ans, ils s'enfuient vers Poitiers où ils s'installent. Et, de mariage en mariage, ils continuent de tisser des liens utiles. On trouve des Pidoux partout : l'un est beau-frère du cardinal de Richelieu ; un autre, parent de Bossuet ; une autre encore, cousine de Racine… N'oublions pas un Pidoux médecin du roi Henri III.

Les Pidoux ne sont pas que sérieux. La passion peut parfois les conduire à toutes les audaces et tous les sacrifices. Le jeune Loys, un des frères de Françoise, donc l'oncle direct de notre poète, achève ses études de médecine. Il a vingt-cinq ans. Un beau jour, il rencontre une quasi-vieille (trente ans), mais encore fille, Isabelle de Richelieu. Coup de foudre. Les familles s'opposant au mariage, Loys enlève Isabelle. Ils vivront à Dole, capitale d'une Franche-Comté pas encore française. Toujours fous d'amour, mais désargentés : la parentèle a profité de leur fuite pour faire main basse sur leurs biens.

Un autre Pidoux a connu la gloire pour une raison qui tient à l'hydrologie en même temps qu'à l'hygiène. Il se passionne pour les eaux thermales, comparant sans fin les vertus d'une cure à Pougues, à Spa et à Bourbon-l'Archambault. Cette recherche, si savante et méritoire fût-elle, serait restée sans écho s'il n'y avait ajouté une suggestion : pourquoi ne pas imiter une pratique italienne encore inconnue chez nous ? Rien de plus simple : il suffit de se renverser de l'eau sur le corps, au lieu de toujours se plonger dans des bains. L'avantage est double : gain de temps et moindre quantité d'eau requise.

Telle est la raison pour laquelle on peut considérer ce Jean Pidoux comme l'inventeur de la douche en France.

Sur le berceau du petit Jean, force est de constater que nombre de divinités déjà se penchent. Certaines viennent de la forêt, dont un grand-père est « maître ». Les plus nombreuses ont l'eau pour demeure. Et d'autres savent naviguer entre les humains pour en tirer les plus grands avantages. On verra que si les deux premiers héritages, l'amitié des arbres et la complicité des ondes, ont été bien transmis, le talent de l'habileté sociale et de la courtisanerie a dû se perdre en chemin. Les gènes des La Fontaine, gens de la campagne, l'ont sans doute emporté sur ceux des très urbains Pidoux. Même si notre poète n'a jamais pu se passer des frénésies parisiennes.

Autrefois le Rat de ville
Invita le Rat des champs,
D'une façon fort civile,
À des reliefs d'ortolans.

Entre la ville et les champs, ce balancement sera celui de toute une vie.

Avançons.
Pour l'heure, 1623.
Molière est né l'année précédente.
Notre petit Jean vient de souffler ses deux bougies.
Et si sa famille l'emmène le dimanche en promenade

dans la campagne voisine, ses premiers pas tré-
buchent sur les pavés de Château-Thierry.

Honte sur moi, académicien donc cofabricant de
dictionnaire, je n'ai appris que récemment le mot qui
désigne l'habitant d'une ville : le gentilé. Comment
appelle-t-on celui qui loge à Château-Thierry, ou,
pour ce qui nous concerne : quel est le gentilé de
Jean de La Fontaine ? Castelthéodoricien.

On imagine le rire du fabuliste ainsi lourdement
affublé.

3

Fermes

Que reste-t-il des anciens paysages ?

Le long de la Marne, au sortir de Château-Thierry, les constructions se succèdent. L'habituel tapis de pavillons. Mais vers l'ouest, soudain, une usine. Croyez bien que je m'étonne : sa cheminée fume encore ! Rareté, en France, de nos jours ! On me dit que du papier y est recyclé. Bonne nouvelle ! De l'autre côté, vers Reims, la biscuiterie Belin n'a pas eu cette chance. Plus de mille personnes y travaillaient. Nous leur devons quelques-unes des plus aimées gourmandises de notre enfance, à commencer par nos chers Pépito. L'activité s'en est allée vers des pays aux très bas salaires. La municipalité a racheté les anciens silos. Les réservoirs de farine sont devenus centre culturel. Quoi de plus logique ? Nourriture du corps, ingrédients de l'âme, la vie continue. On y défend le théâtre et la poésie. Rimbaud fournit la lumière. A noir, E blanc, I rouge, U vert, O bleu...

Plus loin, le petit Jean, continuant sa promenade, rêverait aujourd'hui devant les rhodos et les géraniums du Jardiland local. Il pourrait aussi se choisir le plus doux des matelas à Nation Literie (en direct du fabricant).

Et impossible d'oublier que nous venons de pénétrer dans la patrie du champagne : les vignes nous cernent. Quant aux bois, il n'en demeure plus guère. Arrachées, les haies. Brûlées, les clôtures. La Grande (agri) Culture n'aime pas les entraves. Une fois sur le plateau, vous ne voyez que l'immense étendue des champs. La vue s'y perd. On me dit que bientôt des éoliennes y viendront tournoyer.

Alors, où sont les fermes, les fameuses fermes, les paradis de l'enfance fontainière ?

Thomas Morel, le tout jeune et tout récent conservateur du musée, m'en a fourni la liste.

J'ai suivi le circuit.

Dans la plupart, il faut avoir auparavant largement « champagné » (en dialecte local : enchaîner les coupes), puis convoquer toutes les ressources de son imagination pour retrouver des traces du garçonnet, poète en herbe. Ce ne sont que longs bâtiments plus ou moins reconstruits. Seules les mares voisines vous permettent de saluer un héron au long bec emmanché d'un long cou. Peu de chances pour vous, malgré l'onde transparente, d'apercevoir cette commère de carpe y faisant mille tours avec le brochet son compère.

Ces fermes, La Fontaine dut, forcé par la nécessité, les vendre toutes. Dans chacune, combien de temps est-il vraiment venu ? Ceux qui veulent *des faits, rien que des faits et des dates*, prendront langue avec le très savant Thomas.

17

Sur la commune de Blesmes, allez saluer la ferme des Aulnes bouillants. Comment expliquer ce nom magnifique ? Par le bruit que fait le vent, terrible sur ces plaines, quand il agite les feuilles ?

J'avoue ma préférence pour La Tuéterie, aussi nommée Ferme Renard. Une tuéterie serait l'endroit où l'on élevait des cochons. Pour la faire vivre, et ainsi la sauver, le nouveau propriétaire l'a changée en chambres d'hôtes. Et pour financer les travaux, Jean-Jacques Riera (je vous jure, c'est son vrai nom) a gardé son emploi de... directeur de la sécurité à... la Française des Jeux. Je vous recommande la visite, notamment le dessus du four à pain. Il paraît que le poète profitait de sa chaleur pour y « faire leur affaire » aux soubrettes plus ou moins consentantes. Légende ou vérité ? Si vous en avez le loisir, et l'intérêt, menez l'enquête ! En attendant, champagnez !

Et reprenons notre récit.

4

L'école buissonnière

On ne sait quelle école primaire fréquenta La Fontaine.

La seule source est celle des frères Maucroix, venus de Noyon, petite ville voisine de Château-Thierry, pour y apprendre des mêmes maîtres.

François de Maucroix, le second, deviendra l'intime, le complice, le compagnon, le confident, l'autre soi-même. C'est l'aîné Louis qui décrit ainsi le petit Jean : « La Fontaine, bon garçon, fort sage et fort modeste. »

On l'imagine loin du premier rang, plutôt réfugié vers le fond de la classe, non pour se mêler aux cancres, non pour chahuter ou bavasser, mais par seul souci qu'on le laisse en paix. On peut le voir aussi sur ces places qui jouxtent les fenêtres. Les heures y passent plus vite : sans même faire l'effort de se pencher, on suit la course des nuages dans le ciel, le vol des oiseaux, les feuilles qui frémissent au faîte du marronnier. Pas besoin d'attendre la fin des cours pour commencer sa récréation.

On peut penser qu'il tend l'oreille chaque fois qu'il s'agit de l'Histoire : ces récits de rois, de reines, de gloire et de drames ne peuvent que l'enchanter. Il est à parier que l'étude du latin, loin de lui répugner, l'attire. Cette langue, entendue aussi à la messe, porte une double part de mystère et de proximité. On sent bien que notre français vient d'elle. Et, plus encore que les mots, l'accord entre ces mots, cette logique de la phrase, cette grille souterraine, invisible et pourtant si présente et qui a pour nom grammaire.

Et puis le latin, une fois qu'on y acquiert une certaine maîtrise, le latin, c'est Virgile. Traduire Virgile, c'est, mot après mot, voir surgir la Nature. Laquelle est, tout compte fait, la première école. Traduire, c'est explorer. Apprendre à regarder, à comparer. À rêver précis. Rêver, qui est tout, tout sauf rêvasser.

Tes vers sont pour nous, divin poète, comme un somme sur le gazon pour qui est harassé ; comme, en pleine chaleur, le plaisir d'étancher sa soif à l'eau d'un ruisseau bondissant. […] Une allègre jouissance possède les bois et toute la campagne […]. Le loup ne machine plus d'embûches contre le bétail, ni les rets de pièges pour les cerfs.

(Extrait des *Bucoliques*.)

Virgile.

En lui, tout habitant de la France des années 1630-1650 peut se retrouver. À l'époque où vivait le poète (70 à 19 avant Jésus-Christ), l'Italie se déchirait elle aussi dans d'incessantes guerres civiles. Loin de la folie des hommes, la Nature était havre de paix[1].

Comme nous savons, la famille La Fontaine a des fermes et des bois. On s'y rend tout le temps, pour déjeuner, pour fêter, pour dormir, pour un rien, les dimanches, en vacances. La vie des La Fontaine est buissonnière. L'école et la vie communiquent, et sont toutes deux buissonnières. « L'école buissonnière, dit le dictionnaire, est une école clandestine qui, au Moyen Âge, se tenait en pleins champs. » Clandestin, clandestine est aussi un mot pertinent pour parler de La Fontaine. Il sera toujours passager clandestin de sa vie. Pas très sûr de lui-même, incertain de sa réalité, doutant de vivre la vie prévue pour lui. Flottant. Comme s'il fallait s'oublier pour parler à tous et à chacun, surtout ne pas s'inquiéter de savoir qui l'on est. Le génie est un passager clandestin. Ou, si vous préférez, buissonnier. Et buissonnière sera l'école que nous fréquenterons en fréquentant La Fontaine.

1. Si m'en croyez, saisissez l'occasion d'aller visiter le Grand Latin. Un livre vous enchantera : *Virgile, notre vigie*, Xavier Darcos, Paris, Fayard, 2017.

5

Un prêtre vite défroqué

Prêtre, La Fontaine ?

Allons donc !

Personne ne nous semble plus éloigné de la soutane que ce coureur de jupons. Plus étranger aux charges quotidiennes d'une paroisse que ce rêveur permanent, pour ne pas dire gros paresseux. Plus rétif aux dogmes de la religion que cet épris de liberté. Personne moins mystique, moins préoccupé de salut éternel que ce joyeux païen, d'abord jouisseur du présent.

Et pourtant, fin avril 1641, deux mois avant ses vingt ans, il entre au couvent, oui, couvent, vous avez bien lu. Son frère Claude vient l'y rejoindre après l'été.

Fondée par un Florentin, Philippe Néri, plus tard canonisé, la congrégation de l'Oratoire réservait, comme son nom l'indique, une grande part à la prière (*orare* signifie prier en latin), mais aussi à l'enseignement. C'est le cardinal Pierre de Bérulle qui, en 1611, l'avait installé en France pour « élever le niveau spirituel et moral du clergé ». Son établissement principal se trouvait dans le cœur de Paris, 145, rue Saint-Honoré, où vous pouvez encore le voir. C'est aujourd'hui, je frissonne à le dire, un temple... protestant.

Dans la prêtrise, La Fontaine voyait sans doute un métier paisible et propice à la rêverie. Hélas, il fallait d'abord apprendre un minimum de théologie. Cette matière le rebuta trop pour qu'il s'obstine longtemps. Tandis que ses professeurs débattaient de saint Augustin, lui savourait *L'Astrée*, un interminable roman amoureux et botanique, nous en reparlerons.

Il comprend, ou on lui fait comprendre, que la vocation ecclésiastique n'est pas la sienne.

Au revoir, les Oratoriens. Bonjour, les études de droit ! À nous, surtout, les gaillardises du Quartier latin.

Prêtre, La Fontaine ?

Eh oui, la vérité oblige à dire, contre toute évidence, qu'il faillit embrasser ce ministère-là.

Ainsi va la vie, comme un fleuve, de détour en méandre, mais, à la différence de l'eau qui coule, revenant souvent à sa source. On verra notre débauché, vers sa fin, se plonger dans la piété. Seuls s'en étonneront ceux qui auront oublié l'épisode oratorien. Ouvrez l'âme de La Fontaine, vous y trouverez, bien cachés, de vrais élans mystiques. Notre bonhomme Jean n'est pas si simple qu'il a voulu paraître.

Quand vous voulez de la vérité, allez recueillir les propos des crapules. La morale ne les embarrassant pas, ils n'ont pas leur pareil pour toucher juste. Ainsi Talleyrand, la plus belle des canailles. « Méfiez-vous du premier mouvement, aimait-il à dire, c'est le bon. » Avec sa variante, délicieuse : « Méfiez-vous du premier mouvement, il est toujours généreux. »

6

Paris et l'amitié pour royaumes

Ils ont vingt ans, beaucoup de gaieté, peu de besoins et juste assez de revenus versés par leurs parents pour ne pas se soucier de trouver vite un emploi. Autant continuer d'improbables études avant de se faire emprisonner par la vie. Dans ces cas-là, en général, on choisit le droit qui, dit-on, mène à tout, en autorisant tous les détours. De fait, et je peux vous le dire, l'ayant deux décennies pratiqué, il n'y a pas plus courbe que le droit.

Le cœur battant de Paris, c'est celui du Quartier dit latin, celui du Savoir dispensé par un petit peuple de facultés blotties autour de la Sorbonne. Le Paris aussi des tavernes et des cabarets. On y passe bien plus d'heures que dans les salles de cours ou les bibliothèques. La jeunesse n'a pas été inventée pour se laisser enfermer par la jurisprudence. On boit, on parle, on rêve, on chante. Et on lutine. Il semblerait qu'aux Parisiennes, de naissance ou d'adoption, personne n'a jamais appris à dire « non » longtemps. Pour ces bonnes fortunes, Paris ne manque pas de chambres. Et tant mieux s'il faut le plus souvent grimper jusque sous les toits. Plus l'escalier sera long, plus durera le meilleur de l'affaire. Et plus abrupt il sera, plus grande sera la chance d'apercevoir de la damoiselle plus haut et plus qu'une cheville. Pour ces « provinciaux » comme on disait il y a peu encore, pas de plus beau cadeau que Paris.

Ils ont pour nom Maucroix, prénom François ; Tallemant des Réaux, Gédéon ; Cassandre, François ; Charpentier, François ; Rambouillet, Antoine ; Furetière, Antoine aussi...

Ces très jeunes gens ont reçu la même culture, riche et diverse, familiers qu'ils sont des poètes grecs et latins sans oublier les italiens, Boccace, Pétrarque... Dans les littératures plus récentes, ils se sont enchantés du *Page disgracié*, le chef-d'œuvre de Tristan L'Hermite. Comme souvent, un livre vous touche parce qu'il annonce la suite de votre vie. La lecture est une prémonition. La Fontaine sera page (de Fouquet), disgracié (par Louis XIV). *L'Astrée*, roman-fleuve et best-seller, est leur promenade favorite, la machine à relancer leurs rêves.

Ils se voient tous écrivains, un jour, plus tard. Rien ne presse. D'ailleurs, ils écrivent tout le temps. Des textes pour toutes les circonstances. Vers de mirliton, tontaine et tonton. Ils s'engueulent en rimes. Ce sont leurs textos. Ainsi s'emporte Maucroix, furieux contre notre La Fontaine, disparu un soir sans prévenir (il était coutumier du fait), et retourné à Château-Thierry.

Damoiselle Courtoisie
D'un tel départ s'est fort saisie.

26

Monsieur, c'est vivre en Allemand
Et très mal entendre son monde
Que de quitter la Table ronde
Sans dire aux nobles chevaliers :
Adieu, braves aventuriers !

Car ils se sont baptisés « paladins », ces chevaliers errants du Moyen Âge toujours en quête d'un exploit, d'un enfant à sauver, d'une veuve à défendre (ou à renverser dans la paille). Mais s'ils sont compagnons de la Table ronde, l'héroïsme n'est pas leur ambition. Mieux vaut la bonne vie. Et la « gloire », si elle daigne les effleurer plus tard, ne devra rien aux faits d'armes : seulement littéraires. Comment se sont-ils rencontrés, Jean, François, Gédéon, Antoine et les autres ? Personne ne peut le dire. Les hasards de la vie. Mais ils ont su n'en pas manquer les rendez-vous. Et les « tenir », au sens où l'on dit « tenir une note ». Ils ne se quitteront jamais.

Paris et l'amitié, les deux royaumes se confondent. Les liens appellent des lieux. Seule la géographie ancre les penchants.

7

L'Astrée

De certains livres on dirait qu'ils vous ont choisi. Dès la première phrase, le cœur vous bat. Vous entendez une voix vous dire : « Tu veux être mon ami ? » C'est la voix du livre. Vous en pleureriez. Vous avez trouvé quelqu'un, et ce quelqu'un est un livre, quelqu'un pour vous protéger. Comme le ferait un plus âgé dans la cour de récréation. Vous protéger, mais pas seulement. De page en page, le livre continue de vous parler : « Tu es mon ami, oui ou non ? Alors aie confiance ! Et honte de rien. Et surtout pas de tes rêves. Je suis venu pour que tu oses. Pour que tu oses les accomplir. »

Il est des livres qui sont des bateaux. Ou, si vous préférez, des grands frères. Ils vous embarquent, ils vous prennent la main. Ils vous aident à traverser cette mer cruelle et chahutée qu'est la jeunesse. Ils vous rendent plus fort, juste assez fort pour atteindre l'autre rive. Qui est votre vie.

Pour beaucoup de ma génération, ce livre-là, ce livre-bateau, ce livre-grand frère fut *Cent ans de solitude* de Gabriel García Márquez. Rappelez-vous l'ouverture du livre : «Bien des années plus tard, face au peloton d'exécution, le colonel Aureliano Buendia devait se rappeler ce lointain après-midi au cours duquel son père l'emmena faire connaissance avec la glace. » Osez raconter, jeunes gens, nous disait cet ange Gabriel, osez écrire *il était une fois…*, et tant pis si ce n'est pas la mode. Le goût des péripéties reviendra.

Pour ceux qui fêtèrent leurs vingt ans vers 1640, donc pour La Fontaine, ce livre-grand frère fut *L'Astrée*, un roman-fleuve (cinq mille trois cent quatre-vingt-dix-neuf pages) écrit par un auteur dont le nom seul est poème : Honoré d'Urfé. Les Urfé étaient originaires du Forez, une région du nord de Saint-Étienne. C'est là que notre Honoré vint s'installer après avoir combattu, du côté catholique, dans la guerre de Religion qui déchirait la France. C'est là qu'il place son intrigue, mais au Ve siècle après Jésus-Christ dans la Gaule des druides. Un berger au joli nom de porcelaine, Céladon, aime une bergère, Astrée. Tout paraît simple, puisque Astrée aime aussi Céladon. Hélas, mais tant mieux pour le roman, Astrée est d'un naturel soupçonneux. Ce défaut de caractère était, à ce qu'on m'a rapporté, fréquent chez les bergères, à l'époque. Convaincue de l'infidélité de son amant, elle le chasse. Que voulez-vous que fasse notre désespéré Céladon ? Il erre, et ce faisant rencontre toutes sortes de gens, certains lui voulant trop de bien, telle la princesse Galathée (il résiste héroïquement à ses avances), d'autres beaucoup de mal (il échappe, chaque fois par miracle, à leurs pernicieuses embuscades). Céladon est un malin. La bonne idée lui vient : se déguiser en fille. Astrée accueille joyeusement cette compagne inespérée (on s'ennuie pas mal, quoi qu'on dise, à garder toute la journée des moutons). Cette compagne est d'autant plus appréciée que, sans savoir qui, elle lui rappelle quelqu'un. D'amitié tendre en caresses, vous devinez la suite. Ce que vous ne pouvez imaginer, sauf à lire le roman, c'est le nombre des détours et méandres que prendra l'amour avant de parvenir au roucoulement final.

Comment expliquer aujourd'hui le succès formidable, continu et européen, de cette épopée pastorale ? Sans doute, dans un siècle si violent, déchiré par tant de guerres, avait-on besoin de paix bucolique et d'une histoire qui malgré tout finit bien. Et ne sous-estimons pas le talent d'Honoré. Sa prose est aussi fleurie que fluide. Quant à sa maîtrise du rebondissement, elle enchante. Je vous assure que par de longues journées de pluie rien ne vaut un long bain dans *L'Astrée*. Vive le Forez !

8

Un mariage peut-il contenter tout le monde ?

1647.

La Fontaine allait vers ses vingt-six ans et son père Charles s'inquiétait : combien de temps mon fils va-t-il repousser l'heure d'entrer dans la vraie vie ? À Paris, il s'amuse. À Château-Thierry, il flâne, occupé seulement, comme il l'écrira plus tard, à « consommer les heures ». Au total, rien. Sauf une tendance certaine à dilapider le bien qui lui vient de sa mère.

À cette dangereuse dérive, il faut mettre un terme.

D'autant que Maucroix, son ami le plus cher, et camarade de loisirs perpétuels, a montré l'exemple. Amoureux sans succès d'une Henriette mal mais pour toujours mariée, il s'est résigné à entrer dans les ordres. Il vient de s'acheter conduite, soutane et prébende en devenant chanoine à Reims.

Occasion pour La Fontaine de lui écrire une chanson :

Tandis qu'il était avocat,
Il n'a pas fait gain d'un ducat ;

Mais vive le canonicat !
Alléluia !
Il lui rapporte force écus
Qu'il veut offrir au dieu Bacchus,
Ou bien en faire des cocus !
Alléluia !

Jean, lui, n'est toujours pas près de se ranger. Plus tard, il résumera son humeur dans une fable : «Le Meunier, son Fils et l'Âne ».

À quoi me résoudrai-je ? Il est temps que j'y pense. […]
Dois-je dans la province établir mon séjour,
Prendre emploi dans l'armée, ou bien charge à la cour ?
Tout au monde est mêlé d'amertume et de charmes.
La guerre a ses douceurs, l'hymen a ses alarmes.

Charles perd patience. Il se met en quête et trouve à son fils une prénommée Marie, gage d'angélisme. Fille d'un lieutenant civil et criminel, on peut la supposer éduquée dans la rigueur. Autre qualité : âgée de quatorze ans, elle ne pourra qu'obéir à son mari. Surtout, elle apporte trente mille livres de dot.

Le contrat est signé le 11 novembre.

Et le mariage commence.

Mlle de La Fontaine, qui sort du pensionnat, s'enchante de sa nouvelle vie.

Sachez que c'est ainsi, mademoiselle, qu'on appelle alors les épouses quand elles ne sont pas nobles. La petite mademoiselle s'émerveille de tout, rit à tout propos, bat des mains pour un rien. Une vraie gaieté résonne dans la vieille demeure. La Fontaine semble ravi de sa toute jeune moitié. Sans se faire prier, il l'emmène par la ville et visiter sa campagne.

Des amis viennent. On parle. On boit. On lit des poèmes. On écoute et fait de la musique. Marie se rêve tenant bientôt salon à Paris.

Et le soir venu, il paraît qu'à d'autres moments aussi, on prend vif plaisir à s'ébattre, au lit ou ailleurs. À qui veut bien l'entendre, le mari répète qu'il trouve sa femme jolie. Dans l'effervescence de ces débuts, il ne lui viendrait pas à l'idée de remarquer qu'elle a, peut-être, le nez trop long.

Qui peut savoir quand s'invite, pernicieuse, à petits pas, une lassitude ?

9

Maître des Eaux et Forêts

L'histoire remonte à la fin du Moyen Âge, à Philippe le Bel pour être plus précis. Dès son arrivée sur le trône, en octobre 1285, à l'âge de dix-sept ans, il s'entoure de conseillers choisis pour leur connaissance du droit. Aussi les appelle-t-on « légistes ». Ils vont l'aider à museler le pouvoir des féodaux. Une puissante administration se met en place. Ainsi naît une France qui est l'ancêtre directe de celle que nous connaissons. Un pays beaucoup plus centralisé que les autres, où tous les pouvoirs remontent à la capitale et au roi (plus tard au président).

C'est ainsi que sont créées les charges de maîtres des Eaux et Forêts. Elles vont se multiplier car l'État les vend, cher, à qui veut bien se déclarer intéressé. Bon moyen de renflouer des finances publiques déjà exsangues. Le grand-père de notre poète avait acquis une telle charge. Riche marchand, il en avait les moyens et un tel titre de maître vous posait un homme. Son fils en avait hérité. À sa mort, Jean l'aurait reçue. Il préfère en acheter une autre. Il a trente et un ans. Il ne sait pas trop quoi faire dans la vie.

Pourquoi pas les Eaux et Forêts ? L'idée n'est pas désagréable de percevoir le tiers de la vente des bois, ainsi que diverses dîmes.

Outre le bois, matériau à tout faire, tout construire et chauffer, le pétrole, le plastique et le métal de cette époque, les forêts fournissaient les glands, première nourriture des porcs, eux-mêmes principale alimentation carnée des paysans. Il importait donc de bien gérer les forêts et de les protéger contre des défrichements d'autant plus sauvages que la démographie galopait.

Alors, quel plus beau titre que « maître des Eaux et Forêts » ?

Hélas, la poésie de l'appellation correspond peu aux réalités. Certes, plutôt que dormir dans un bureau de juriste, mieux vaut chevaucher sous les futaies, s'émerveiller du passage des saisons, humer les fraîches odeurs des mousses, et vivre en intime compagnie avec tous les animaux sauvages de la Création, cerfs et renards, loups et biches, lapins, lièvres et perdrix, tous personnages des fables futures. Mais, dans le même temps, il faut surveiller ses gardes-marteaux, qui marquent les arbres destinés à être abattus. Il faut arrêter les braconniers, nombreux et souvent violents. Rien n'est plus facile à voler que du bois. Rien de plus difficile à contrôler que les pêches sauvages dans les ruisseaux et mares de la circonscription. Déjà, les règlements sont précis : interdiction absolue de prendre une carpe ou une truite qui ne serait pas grande de plus de six pouces entre l'œil et la queue. Le travail ne s'arrête pas là. Chaque semaine, le maître des Eaux et Forêts, qui est aussi juge, doit se rendre au tribunal pour statuer sur les contentieux. Et chaque soir, au retour des tournées, il s'épuise les yeux à tenir d'interminables registres.

La Fontaine quittera le métier avec soulagement. Mais cette liberté va se payer d'un vrai dénuement. Bientôt il ne pourra plus compter sur le moindre revenu. Entré dans la pauvreté, il n'en sortira pas.

10

Histoire d'une abbesse rémoise

Son ami Maucroix devenu rémois, La Fontaine se découvre une nouvelle source d'agréments. Haut lieu, et solennel, de la monarchie, puisque c'est en sa cathédrale que sont sacrés les rois, la bonne ville de Reims est connue pour son carnaval, particulièrement débridé, et pour deux abbayes de femmes. Résidences de nombreuses dames, certes fort préoccupées de dévotion, je ne vous permettrai pas d'en douter, mais ouvertes, surtout les plus jeunes, aux plaisirs d'ici-bas, musicaux, littéraires et vineux, notamment. Lesquels plaisirs ne pouvaient être, n'est-ce pas ?, que la volonté de Dieu. S'Il n'avait pas voulu le champagne, pourquoi le Créateur en aurait-Il soufflé la recette à un moine, dom Pérignon ?

C'est l'une de ces dames que rencontre La Fontaine. En quelle occasion, carnavalesque ou autre, on l'ignore. Mais il semblerait que l'attirance fut immédiate, réciproque et vite conclue.

Il ne s'agissait pas d'une nonne ordinaire. Mais de Claude-Gabrielle-Angélique de Coucy de Mailly, excusez du peu, abbesse de Mouzon.

On se plaît donc. On jure de se revoir. Les circonstances vont hâter ces retrouvailles. Nous sommes au milieu du siècle, l'époque continue d'être troublée, c'est-à-dire dangereuse. La Fronde, véritable guerre civile, vient de s'achever, mais les combats se poursuivent contre les Espagnols, alliés avec le duc de Lorraine et soutenus par l'Autriche. Ajoutons les déserteurs de toutes ces armées. Réunis en bandes, ils dévastent tout sur leur passage.

C'est ainsi que, pour fuir ces périls, l'abbesse vient se réfugier à… Château-Thierry. La Fontaine l'accueille au mieux et même, prenant quelque risque, au domicile conjugal.

Nous nous trouvâmes seuls : la pudeur et la crainte
De roses et de lis à l'envi l'avaient peinte.
Je triomphai des lis et du cœur dès l'abord ;
Le reste ne tenait qu'à quelque rose encor.
Sur le point que j'allais surmonter cette honte,
On me vint interrompre au plus beau de mon
conte […].

Une porte s'était ouverte. Mme de La Fontaine avait paru.

Son mari conclut, au moins son récit :

[…] et depuis je n'ai pu retrouver
L'occasion d'un bien tout près de m'arriver.

Il faut croire que l'abbesse était pincée. Car revenue chez elle, Claude-Gabrielle-Angélique n'a rien de plus pressé que d'inviter son ami. La réponse de

La Fontaine ne manque pas de charme, ni de sincé-
rité. Mais c'est un refus. Ferme et définitif :

> Très révérende mère en Dieu
> Qui révérente n'êtes guère
> Et qui moins encore êtes mère, [...]
> Votre séjour sent un peu trop la poudre ;
> Non la poudre à têtes friser,
> Mais la poudre à têtes briser :
> Ce que je crains comme la foudre
> C'est-à-dire un peu moins que vous [...].

La Fontaine se connaît et s'assume tel qu'il est :
couard. Ou, pour employer sa langue animalière :

> Jupiter sur un seul modèle
> N'a pas formé tous les esprits :
> Il est des naturels de coqs et de perdrix.

11

Deux vies

Comme aimait à le répéter feu le président Mao, dans l'un de ses accès de sagesse qui le font grandement regretter de nos jours, « il faut marcher sur ses deux jambes ». C'est la raison pour laquelle on peut considérer le bon sens de notre La Fontaine comme l'avant-garde du maoïsme. Lui aussi considérait que deux valent mieux qu'un. Et que deux lieux de vie s'avèrent vite bien préférables à un seul.

Pour ma très modeste part, j'ai longtemps habité dans le cinquième arrondissement de Paris, rue Rollin pour être précis, où une plaque rappelle la même pensée profonde d'un philosophe, et pas des moindres : Descartes. Dans une lettre il s'adresse à l'une de ses relations huppées, la princesse Élisabeth de Bohême : « Me tenant comme je fais, un pied en un pays, et l'autre en un autre, je trouve ma condition très heureuse, en ce qu'elle est libre. »

Liberté : la grande affaire de La Fontaine !

N'étant pas voyageur, ses deux pays à lui, ses alliés qui l'aidèrent à défendre sa liberté, furent Château-Thierry et Paris. Deux univers aussi dissemblables que possible, aucun ne cherchant à l'emporter sur l'autre, comme s'ils avaient compris qu'ensemble ils apportaient au poète l'équilibre nécessaire.

Dans la capitale, La Fontaine ne cessait d'aller pour satisfaire cette part de lui qui aimait les plaisirs. Magie de la grande ville, il les avait tous à portée et les goûtait tous pareillement, les délicats et les autres, et d'autant plus qu'il pouvait vite les enchaîner sans que personne trouve rien à redire. En même temps, on peut penser qu'écrivain de génie, sans peut-être oser se le dire, il avait besoin d'affermir sa confiance au contact de ses pairs. Pourquoi se priver de dîner avec Boileau, avec Molière, avec Racine puisqu'ils sont vos amis et ne vous veulent que du bien ? Et puis soudain, sans que rien le laisse prévoir, une fatigue le prenait : trop de bruit, trop de vitesse, trop de visages, trop de vin, trop de tout. Il fallait quitter la ronde. L'heure était venue de s'en retourner chez lui.

Sitôt retrouvé Château-Thierry, il changeait d'allure, comme on dit d'un cheval. Il retrouvait son pas. Il se coulait dans cette lenteur qui était aussi sa nature. Il avait besoin de ce vide qui ne se remplit que de rêves. Pour créer, il faut ruminer qui n'est pas converser, sauf avec soi-même. Il faut se décomposer, devenir compost. Alors une plante, ou une fable, peut se mettre à pousser. Il est aussi probable qu'il éprouvait un certain contentement à revoir sa femme. Il se pourrait bien que finalement il l'ait aimée d'amitié.

12

Éloge du cocuage

Pauvre Marie, jeune encore et presque belle, passant ses journées à tuer cet ennui qui, certains mois d'hiver, s'abat si fort sur Château-Thierry qu'on ferait n'importe quoi, jusqu'à égorger son chat, pincer au sang sa servante, pour que quelque chose enfin survienne. Les absences de son mari se multipliaient et s'étiraient. La rumeur, toujours bienveillante, la tenait informée de ses frasques parisiennes. Alors on a beau prier, s'acharner à la tapisserie, s'épuiser dans des promenades, lire un peu, se faire aider d'un confesseur pour offrir à Dieu cette souffrance d'être tant dédaignée (comme si le Créateur pouvait goûter ce genre de cadeau-là), une colère peut soudain vous prendre.

Vive cette langue française qui, d'un seul adjectif ajouté, révèle qu'on passe de l'amour de l'autre à l'amour de soi ! N'étant pas aimée, Marie se reporta sur l'amour-propre. Et décida de rendre la pareille à son époux volage. Pauvre stratégie de la jalousie, ultime et pathétique recours, surtout lorsque la cible, supposée, est notre joyeux La Fontaine.

Marie avait un cousin, hélas désargenté, André Poignant. Il l'avait dans le temps demandée en mariage. Refus net de la famille, pour défaut de bien. De tristesse peut-être, ou pour toute autre raison, il était devenu militaire. À chacun de ses loisirs, il rendait visite à Marie. À la double satisfaction de l'époux. D'abord parce qu'il appréciait la personne du capitaine, agréable causeur et bonne fourchette. Ensuite parce que, durant ses absences, il savait pouvoir compter sur lui pour tenir affectueuse et active compagnie à sa femme. Homme cohérent, une rareté autrefois tout autant que de nos jours, La Fontaine trouvait naturel que sa moitié ne se refuse pas ces plaisirs adultères dont lui-même raffolait. Ils vivaient donc à trois, le mari, la femme et l'amant. Ne craignez rien, bonnes gens. Vous avez compris que je parle d'une époque ancienne, sans ressemblance aucune avec la nôtre.

Tout aurait donc pu continuer ainsi, dans la plus douce des complaisances, si les gorges chaudes de Château-Thierry (je ne peux vous dire s'il en existe encore aujourd'hui dans la ville, mais pour le passé, les chroniques l'affirment) ne s'étaient mises à gargouiller. Et à vitupérer : réveillez-vous, monsieur de La Fontaine, un homme vous trompe, et dans votre domicile ! Et vous le tolérez ! Vous l'acceptez ! On dirait que vous le favorisez ! Quel exemple donnez-vous à nos familles ! Vous rendez-vous compte qu'ainsi vous bafouez le saint Sacrement du mariage ! Quant à vous, que vous reste-t-il d'honneur ?

La colère monte dans la petite ville. On évite le cocu au marché. On se détourne de lui dans la rue.

Il faut agir. La Fontaine s'en va dans le grenier, y déniche deux vieilles épées rouillées. Il redescend vers Poignant. Et, la mine bien plus désolée que menaçante :

— Monsieur, il faut nous battre.

— Vous êtes sûr ?

— Il paraît.

Les deux amis s'en vont, quasi bras dessus bras dessous, jusqu'à un champ voisin. Deux témoins ont été recrutés en chemin. Le duel commence. L'instant d'après, il est fini. La Fontaine a dû seulement crier « aïe » car aucune personne présente ne fait mention du moindre sang versé. Les vaillants combattants reviennent auprès de Marie. Il est à parier qu'une bonne bouteille est ouverte pour célébrer l'heureuse fin de l'épisode. On peut imaginer aussi, sans grand risque d'erreur, qu'après avoir joyeusement trinqué, La Fontaine s'est empressé de galoper vers l'une de ses bonnes amies parisiennes. Ce n'est pas tous les jours qu'on échappe à la mort. Une galanterie s'imposait.

Quant aux Castelthéodoriciens, satisfaits, ils se raconteront à loisir ce combat, en l'enjolivant toujours plus d'année en année, mais laisseront les La Fontaine vivre comme ils l'entendent.

*

Un peu plus tard, le poète mit en mots son opinion profonde :

Pauvres gens ! dites-moi, qu'est-ce que cocuage ?
Quel tort vous fait-il, quel dommage ?
Qu'est-ce enfin que ce mal dont tant de gens de bien
Se moquent avec juste cause ?
Quand on l'ignore, ce n'est rien ;
Quand on le sait, c'est peu de chose.

Comme le dira plus tard Sacha Guitry, maître en la matière : «Le bonheur à deux, ça dure le temps de compter jusqu'à trois ! »

Et, encore plus pertinent pour notre histoire : «Il y a des femmes dont l'infidélité est le seul lien qui les attache encore à leur mari. »

13

Un cadeau
pour le plus séduisant des ministres

Même s'il n'est pas issu de belle noblesse, Nicolas Fouquet vient au monde appuyé sur de solides
ancêtres. Du côté de son père, on est membre de par-
lements, à Paris ou en province. La famille de sa mère
est Maupeou, vieille noblesse de robe. Une éducation
chez les jésuites, au célèbre collège de Clermont, lui
apprend les fondamentaux du savoir en même temps
qu'une certaine habileté dialectique, plus tard utile
en société. Une série d'emplois d'intendant auprès
des armées lui donnent ses premières leçons sur le
circuit de l'argent. Il ne va pas s'y attarder. Nicolas
veut réussir vite. L'exemple de ses frères et sœurs,
tous entrés en religion, ne lui fait guère envie.

Il n'a pas trente ans que le voilà tout proche du
sommet, conseiller de l'homme fort du royaume, l'intime de la reine Anne d'Autriche. Vous avez reconnu
le cardinal Mazarin. Rien de mieux qu'une telle posi-
tion pour se familiariser avec le cœur du pouvoir et
découvrir les ressorts qui meuvent les hommes (la
vanité et l'avidité). Pas de meilleur endroit pour
se constituer un réseau de gens fidèles car achetés.

Et mille opportunités chaque jour de devenir riche soi-même. Surtout quand on se découvre un génie particulier, celui de cette jonglerie qu'on appelle la finance. En cette période ô combien troublée, de véritable guerre civile, et donc de faillite perpétuelle de l'État, la voie est libre, et juteuse, pour les aigre-fins d'envergure.

Si vous me permettez un conseil, lisez un très grand tout petit livre, la biographie par Paul Morand de ce très séduisant Nicolas : *Fouquet ou le Soleil offusqué*. Nous comprendrons plus tard la justesse du sous-titre.

Dans le cabinet de Mazarin, se trouve aussi un certain Colbert, quatre ans plus jeune que Fouquet, et personnalité contraire : sévérité, austérité, obsession du labeur, absence totale de charme. Pour avoir fréquenté longtemps, plus de huit ans, les entourages ministériels et présidentiels, je connais ces affrontements. Il est à parier qu'entre les deux conseillers, forcément concurrents dans l'estime du cardinal, l'inimitié fut immédiate. Et, chez Colbert, elle se changea vite en haine, une haine définitive et totale car on imagine bien le trop brillant Fouquet plein de mépris pour le besogneux et sinistre Colbert. Je connais ce genre de haine. Elle cuit et recuit en attendant son heure. Qui viendra.

Pour le moment, suivons le parcours accéléré de Fouquet. À peine arrivé chez l'Italien tout-puissant, il devient surintendant, c'est-à-dire ministre des Finances. L'alliance de la jeunesse et de la maîtrise du Trésor public a quelque chose de fascinant auquel personne ne résiste, et encore moins les femmes.

Voyez Giscard, secrétaire d'État à trente-trois ans, ministre à trente-six... Ne me faites pas aller au-delà de la comparaison. Personne n'a jamais douté de l'honnêteté de l'Auvergnat, qui allait devenir notre président. Tandis que le surintendant...

Comme l'écrit Paul Morand : « L'Histoire n'est pas avare de ministres malhonnêtes. [...] Ce qui a sauvé [Fouquet] de l'oubli, c'est l'étendue sublime de son improbité, son audace dans la soustraction, sa magnificence dans l'exaction... »

Dans sa maison de Saint-Mandé se presse tout ce que la France compte de beaux esprits, une chatoyante compagnie d'avocats, d'érudits, de médecins, de poètes (Scarron), de romancières à succès (Mlle de Scudéry), de peintres (Le Brun), de gloires déjà vieilles mais qui ne demandent qu'à jeter de nouveaux feux (Corneille), d'inconnus aujourd'hui mais qui jouissaient alors de l'admiration générale (Paul Pellisson dont Fouquet disait qu'il avait « ensemble l'esprit des belles lettres et celui des affaires de l'État »).

Tous ne viennent pas seulement dans l'espoir de donations (fréquentes, il faut le dire). Ils aiment leur hôte, et se retrouver. Après les repas, on gagne la bibliothèque pour s'émerveiller des... trente mille volumes. Fouquet, qui a l'ambition large, se veut le successeur des rois de la Renaissance ou des princes mécènes italiens, Laurent de Médicis, Hippolyte d'Este. Plus tard, il rassemblera les talents de tous ses amis pour construire ce chef-d'œuvre, Vaux-le-Vicomte.

C'est à ce flamboyant personnage que La Fontaine va envoyer son cadeau.

Notre ami n'était plus de première jeunesse, déjà trente-six ans, et tout à fait désargenté. Mieux valait bien choisir la personne à qui offrir son très long poème (pas moins de six cents vers). Pour deux de ses qualités, Fouquet s'imposait : comme nous venons de le voir, le surintendant était riche et il aimait les arts.

Le cadeau, je veux dire le poème, raconte l'histoire d'Adonis. Une histoire si triste qu'elle serre les cœurs les plus endurcis en même temps qu'elle rassure les moins jolis d'entre nous : attention, les beaux ! Le malheur vous attend au coin des bois.

Petit rappel de la mythologie.

Adonis est le fils que le roi de Chypre avait un jour conçu avec sa fille. Laquelle, pour punition de son inceste, avait été changée en arbre à myrrhe.

Cet Adonis est si beau qu'Aphrodite, déesse de l'Amour, en tombe folle. Une autre déesse s'en éprend : Perséphone, fille de Zeus et de Déméter. Pour apaiser la querelle qui empoisonne l'atmosphère familiale, Zeus décide d'un partage. Adonis passera quatre mois avec Aphrodite, quatre avec Perséphone et quatre avec la personne de son choix. Hélas, Adonis a sa préférence : Aphrodite. Il lui donne huit mois. L'harmonie est rompue. En représailles, un sanglier qu'il chassait le charge et le tue.

Sur ce sujet imposé, cent fois raconté, notamment par Ovide, La Fontaine brode un chef-d'œuvre. Pour vous donner envie de le lire, voici le seul début :

Aux monts Idaliens un bois délicieux
De ses arbres chenus semble toucher les cieux.
Sous ces ombrages verts loge la solitude.
Là, le jeune Adonis, exempt d'inquiétude,
Loin du bruit des cités, s'exerçoit à chasser,
Ne croyant pas qu'Amour pût jamais l'y blesser.
À peine son menton d'un mol duvet s'ombrage,
Qu'aux plus fiers animaux il montre son courage.

Voici la fin. Aphrodite parle à son Adonis allongé sur le sol et tout ensanglanté :

Vous ne répondez point. Adieu donc, ô belle âme ;
Emporte chez les morts ce baiser tout de flamme.

Quel ministre aujourd'hui, des Finances ou d'ailleurs, apprécierait un tel cadeau ?

*

Je n'ay pas assez de vanité pour espérer que ces fruits de ma solitude vous puissent plaire […]. Vostre esprit est doué de tant de lumières, et fait voir un goût si exquis et si délicat […] que peu de personnes seraient capables de vous satisfaire…

C'est en ces termes que La Fontaine présente son cadeau, son poème sur le bel Adonis, au non moins séduisant surintendant Fouquet.

Ayant fort pratiqué la flatterie, aux temps mitterrandiens où j'étais courtisan, et préparant depuis lors un florilège des plus belles jamais inventées, j'admire ces hyperboles. Même si c'est l'usage à l'époque, notre Castelthéodoricien n'y va pas de main morte. Il évoque une « générosité sans exemple », « la grandeur de tous vos sentiments », « cette modestie qui nous charme », « vostre esprit est infiniment élevé […], mais vostre âme l'est davantage ». Et de conclure :

Non seulement, Monseigneur, vous attirez l'admiration [de tout ce qu'il y a d'honnêtes gens dans la France], vous les contraignez même par une douce violence de vous aimer.

Il est une première loi de notre espèce humaine : tous les puissants ont toujours été louangés. Il en est une autre, plus étonnante que la précédente : tous les puissants ont toujours goûté fort ces louanges, si démesurées soient-elles. Je me souviens d'un de ces déjeuners du lundi, au palais de l'Élysée. Un invité prend soudain sa respiration et, l'air grave : «Monsieur le président, j'ai profité de mon dimanche pour relire notre Histoire. Depuis Louis XI, Louis XIV et Napoléon, personne n'avait comme vous gouverné la France. » Je me suis dit : cette fois, c'est trop. Pauvre qui se voulait ministre, il n'aura pas son maroquin. Eh bien j'avais tort. Le Tout-Puissant protesta, pour la forme. Mais bientôt sourit. Puis ronronna. Et plus tard le flatteur obtint son secrétariat d'État. J'ai le nom. Permettez que je le garde encore un peu. À le prononcer tout bas, je ressens trop de bien à l'humeur.

Puisque rien, décidément, ne change, revenons au XVIIe siècle et à nos moutons. Le poème plut au surintendant, le poète aussi. Il fut décidé qu'une pension lui serait désormais versée. Que grâces à Dieu soient rendues ! Tout allait pour le mieux dans le meilleur des mondes. Et ce meilleur des mondes était alors français. La Fontaine rejoignit la société qui gravitait autour de Fouquet, sans doute la plus brillante qui fût jamais. On s'obnubilait d'intelligence, d'élégance et de plaisirs. Personne ne voyait s'avancer, pas à pas, l'hydre Jalousie.

Dans l'une de ses formules qui illuminent, Chateaubriand résume : «Louis XIV regardait les artistes comme des ouvriers, François Ier comme des amis.» Remplacez François par Fouquet, la messe est dite. Et le drame s'annonce.

14

Un songe qui fait bâiller

Ne nous inquiétons pas pour lui : le nouveau protecteur de La Fontaine était déjà confortablement logé. En 1654, Fouquet avait acheté, à Saint-Mandé, la propriété de Catherine de Beauvais. Cette dame qu'on disait fort laide reste dans l'Histoire pour avoir été chargée par la reine mère Anne d'Autriche de déniaiser le roi Louis XIV alors âgé de quatorze ans. Il est à noter que, pour ces services obligeamment rendus, elle avait reçu cette luxueuse demeure et son mari le titre de baron.

Ce domicile ne suffisait pas au surintendant. Il voulait davantage : un vrai château, digne de sa condition. Il possédait un terrain, acquis vingt années auparavant, sur la paroisse de Maincy, dans le sud-est de Paris, non loin de Melun. Il confia le chantier au meilleur quatuor qu'on pouvait alors réunir : l'architecte Louis Le Vau, le maître maçon Michel Villedo, le peintre et décorateur Charles Le Brun et le jardinier André Le Nôtre.

À ce grand œuvre de Vaux-le-Vicomte, il fallait un poète qui tienne chronique de ces formidables travaux.

La Fontaine comprend qu'on ne l'a pas pensionné pour rien. Il se met donc à l'ouvrage. Il se documente, il se rend sur place, il écoute les artisans, il hoche la tête à leurs explications, il prend des notes. Mais il a beau faire, aimer le propriétaire, le plus charmant des hommes, le plus lettré des ministres, il a beau s'éberluer d'être devenu l'un de ses proches, il a beau s'émerveiller devant l'ampleur et la beauté du chantier, il ne sait comment s'y prendre : l'inspiration le fuit.

Il s'obstine, finit par inventer un stratagème. Endormons-nous et rêvons de jardin. Bienvenue au paradis sur Terre ! Il convoque des fées qui, en se promenant, débattent. Lequel des arts l'emporte sur l'autre ? Hortésie, par exemple, qui incarne le Jardinage, vante ses mérites.

Les vergers, les parcs, les jardins,
De mon savoir et de mes mains
Tiennent leurs grâces nonpareilles ;
Là j'ai des prés, là j'ai des bois ;
Et j'ai partout tant de merveilles
Que l'on s'égare dans leur choix.

On a vu notre ami plus inspiré.

Si l'architecture « loge les dieux », la poésie « les a faits ». Vous avouerez que cette question de prééminence manque d'intérêt ! La Fontaine le sait bien. Il appelle à son secours un esturgeon. Le poisson parlant fait de son mieux, raconte les péripéties du voyage qui l'a conduit jusqu'à Vaux et conclut platement :

Quant à moi, j'ai bonne envie
De n'en bouger de ma vie :
On y voit souvent les yeux
De l'adorable Sylvie.
(La femme de Fouquet.)

Bref, comme on dirait aujourd'hui, notre La Fontaine rame. Et pour une raison toute simple : il s'ennuie. Alors, en charitables, pour ne pas le laisser seul, on s'ennuie avec lui. Soyons francs, rien qui fasse plus bâiller que ce songe. Pour une fois, la réalité l'emporte, sans mal, sur ce qu'en dit le poète. Car Vaux est une merveille, courez-y.

La morale de cette histoire est simple. En La Fontaine, deux êtres existent et s'affrontent : l'homme libre et le courtisan. On dirait une fable. L'homme libre renâcle. Il ne supporte plus la caricature que donne de lui le courtisan. L'homme libre décide de se venger de la pire des manières, en retirant toute invention, toute grâce, tout allant, toute légèreté à celui qui tient la plume.

Mais soyons patients, une fête, une fête terrible se prépare à Vaux : le surintendant a invité le roi !

15

La fête avant la foudre

17 août 1661.

Ce jour-là, La Fontaine voit tout. Mais ne devine rien.

Il voit tout car, dans une lettre à son ami Maucroix, il raconte par le menu l'enchantement que fut la fête. Et autant il avait manqué Vaux en rédigeant sur ordre le songe, autant, libéré, il retrouve son œil, sa fantaisie, la capacité qu'il a, tout enfantine, de pousser des oh, des ah, le talent de s'éblouir.

Tous les sens furent enchantés [...]. Il y eut grande contestation entre la cascade, la gerbe d'eau, la fontaine de la couronne, et les animaux, à qui plairait davantage ; les dames n'en firent pas moins de leur part. [...] Ensuite de la promenade on alla souper. La délicatesse et la rareté des mets furent grandes ; mais la grâce avec laquelle monsieur et madame la surintendante firent les honneurs de leur maison, le fut encore davantage. Le souper fini, la comédie eut son tour : on avait dressé le théâtre au bas de l'allée des sapins.

En cet endroit, qui n'est pas le moins beau
De ceux qu'enferme un lieu si délectable, [...]
Furent préparés les plaisirs
Que l'on goûta cette soirée [...].
Deux enchanteurs pleins de savoir
Firent tant par leur imposture
Qu'on crut qu'ils avaient le pouvoir
De commander à la Nature.
L'un de ces enchanteurs est le sieur Torelli
[le maître artificier]
Et l'autre, c'est Le Brun
Le Brun dont on admire et l'esprit et la main [...].

D'abord aux yeux de l'assemblée
Parut un rocher si bien fait
Qu'on le crut rocher en effet ;
Mais insensiblement se changeant en coquille,
Il en sortit une Nymphe gentille [...].
Tout cela fait place à la Comédie [...].
C'est un ouvrage de Molière, [...]
J'en suis ravi, car c'est mon homme. [...]

Dès que ce plaisir fut cessé, on courut à celui
du feu. [...]

De ce feu le plus beau du monde, [...]
On vit partir mille fusées [...].
Le raconter de cette sorte
Est toujours bon [...].

Heureux Maucroix qui reçoit de son ami une telle
correspondance.
Et naïf, si naïf La Fontaine !

Tout combattit à Vaux pour le plaisir du roi,
La musique, les eaux, les lustres, les étoiles.

Le plaisir du roi…
La Fontaine, âme claire et confiante, ne devine pas
qu'avec ces fastes Fouquet construit sa perte.

16

La jalousie du Soleil

La foudre qui va tomber dans la nuit du 17 août 1661, juste après la fête, a de lointaines origines. Les orages ont des causes qu'il faut parfois chercher un peu loin dans le temps. Cinq mois plus tôt était mort Mazarin, ce cardinal italien qui, par les hasards de la vie et le bon vouloir de son amie Anne d'Autriche, avait régné sur la France près de deux décennies durant. Louis le quatorzième était roi depuis 1643. Mais ce jour-là, 9 mars, il prend le pouvoir. Enfin. Il a vingt-deux ans. Les ministres lui demandent :

— Sire, à qui devrons-nous désormais nous adresser ?

— À moi !

Plus tard, le roi, se souvenant de ce moment-là, écrira dans ses *Mémoires* : «Je commençai à jeter les yeux sur toutes les diverses parties de l'État, et non pas des yeux indifférents, mais des yeux de maître. »

Il y a plus grave. Après tout, Fouquet, qui avait des dons pour tout, aurait pu apprendre à obéir. Mais ceux qui sont aimés par tous ne peuvent imaginer qu'un seul résiste à leur charme. La vraie difficulté surgit lorsque ce seul réfractaire est… le roi en personne. Un Louis XIV sans cesse rappelé à la haine par son plus proche collaborateur, Colbert. Car de haine il s'agit. Une haine alimentée par le plus durable en même temps que le plus dévorant de tous les feux, celui de la jalousie. Ce surintendant est trop beau, susurre du matin jusqu'au soir le serpent Colbert, son impudence est sans limites : n'a-t-il pas osé complimenter votre maîtresse, Mlle de La Vallière ? Il est trop riche. D'où lui vient cet argent ? Mazarin, du moins, n'étalait pas ce qu'il avait volé. Et surtout, pour qui se prend-il ? Pourquoi ce faste ? Qui veut-il impressionner ? Moi, le roi ?

Tout à sa fête, enivré par le champagne, la musique et les compliments, Fouquet ne se rend compte de rien. Or plus il offre, plus le roi enrage. Il s'en faut de peu qu'il ne fasse arrêter son hôte en plein spectacle. Sa mère seule l'en dissuade. Mais sa décision est prise. On dit que, dans le carrosse du retour, il aurait grondé : «Ah, Madame, ne ferons-nous pas rendre gorge à tous ces gens-là ? »

À cet instant, un terrible orage se déclenche. Après tout, c'est le Roi-Soleil qui vient de rendre son verdict. Un tel astre ne peut que dicter sa loi au ciel, même la nuit ! Vaux est noyé sous les trombes.

17

Honte à d'Artagnan

Oui, honte à d'Artagnan !

Car c'est lui, oui, celui-là même, le quatrième des trois mousquetaires, le héros de notre enfance, c'est lui qui arrêta Fouquet.

Il y avait de quoi s'en prendre au surintendant : maître en jongleries, il avait toute sa vie confondu finances de l'État et cassette personnelle. Mais ce qu'on peut appeler à sa guise « négligence », « distraction » ou, plus crûment, « corruption », pratique des plus habituelles en ce temps-là, n'était en rien la vraie raison du châtiment qui se préparait. Colbert, celui que les manuels ont si souvent présenté comme l'incarnation même du ministre *honnête*, seulement préoccupé de l'intérêt supérieur du pays, Colbert, *l'intègre* Colbert, ne se privait pas de s'enrichir lui-même ainsi que sa famille.

Le sous-titre du livre de Paul Morand dit tout : *Fouquet ou le SOLEIL offusqué*. Offusquer vient d'un verbe latin, *offuscare*, qui veut dire obscurcir. « Ôtez-vous de devant moi, donne pour exemple notre dictionnaire de l'Académie, vous m'offusquez la vue. »

Fouquet obscurcissait le Soleil. Il fallait donc le mettre à l'ombre. Ce qui fut fait à Nantes, le matin du 5 septembre 1661, par notre lieutenant d'Artagnan, aidé de quarante de ses mousquetaires « gris ». Cette couleur n'étant pas celle de la honte ressentie par les soldats, mais juste la teinte de leur uniforme. Le soir, Fouquet couchait en prison.

Il devait y demeurer dix-neuf ans, jusqu'à sa mort causée par… le choc que lui fit l'annonce de sa libération.

Le 5 septembre n'avait pas été choisi par hasard : c'était… le jour de l'anniversaire du roi. Pour les gens de pouvoir, toute date est matière à fabriquer du symbole.

Sitôt connue l'incroyable nouvelle de l'arrestation, les mouches changèrent d'âne. Ou, dit autrement, sous une forme moins animalière, les meilleurs « amis » du surintendant, ceux qu'il avait comblés de ses grâces sonnantes et trébuchantes, se précipitèrent vers Louis XIV pour protester de leur amour. Tous, l'architecte Le Vau, le maître maçon Villedo, le peintre Le Brun, le jardinier Le Nôtre… Bien, grand bien matériel leur en prit. Sur l'heure, ils furent embauchés pour Versailles. Tous trahirent Fouquet, même les arbres : figurez-vous qu'on les arracha de Vaux-le-Vicomte pour les replanter le long du Grand Canal.

Tous, sauf une poignée de fidèles. Parmi lesquels, La Fontaine.

18

Courage de la fidélité

Le procès de Fouquet commence en mars 1662. C'est alors que se met à circuler dans Paris non un pamphlet, non un libelle, non une pétition mais... une « Élégie aux nymphes de Vaux ». Son auteur ne se cache pas : c'est notre La Fontaine. Pour défendre son ami, il a choisi l'arme de la poésie et le détour de l'allégorie. À l'annonce des malheurs qui frappent le maître de leur domaine, les nymphes se désolent et supplient le roi :

> Tâchez de l'adoucir, fléchissez son courage :
> Il aime ses sujets, il est juste, il est sage ;
> Du titre de clément rendez-le ambitieux ;
> C'est par là que les rois sont semblables aux dieux.

Et, la pensée de son ami ne le quittant pas, La Fontaine achève par ces deux vers qui serrent le cœur :

> Il est assez puni par son sort rigoureux ;
> Et c'est être innocent que d'être malheureux.

Si l'on ignore la réaction de Louis XIV à la lecture de l'élégie, on connaît la colère de Colbert, qui travaillait jour et nuit à la perte de son ennemi Fouquet.

Colère d'autant plus violente qu'un an plus tard La Fontaine récidive et décide d'écrire au roi pour demander la grâce de son ami. Incroyable épisode, il fait d'abord parvenir à Fouquet le brouillon de la lettre pour qu'il donne son avis. Fureur du surintendant. Il passe une avoinée à son dévoué poète. Vous n'avez pas à vous, à nous abaisser ainsi. Ce faisant, vous m'humiliez. Un caractère aussi, que celui de Fouquet ! Représentons-nous que, dans ce procès, il risque pas moins que la mort. Jean Orieux[1] a retrouvé la réponse, admirable, de La Fontaine :

Ce sentiment est digne de vous, Monseigneur, et en vérité celui qui regarde la vie avec une telle indifférence ne mérite aucunement de mourir.

Cela dit, et si noblement dit, La Fontaine refusera l'argumentation de Fouquet et enverra telle quelle son « Ode au roi », sans aucune correction.

Avec la chute de Fouquet, La Fontaine perdait sa pension. En prenant sa défense, il perdait toute chance d'en recevoir une du roi. D'autant que ces libéralités-là étaient distribuées par des créatures de Colbert.

---

1. Jean Orieux, *La Fontaine ou La vie est un conte*, Flammarion, 1976.

19

Le dédain des voyages

Parmi les êtres humains, il en est, dont je suis hélas, qui s'inventent l'obligation de toujours bouger. Impossible pour eux de rester en place. À peine arrivés quelque part, leurs pieds les démangent. Toutes affaires cessantes, ils se doivent d'aller voir ailleurs. Et dans leurs insomnies, au lieu de compter les moutons, ces agités-là cochent les pays déjà visités (quatre-vingt-seize pour ma part) et ceux qu'il leur reste à honorer de leur présence (pour moi cent un, si je m'en tiens à la liste de l'ONU). Marguerite Yourcenar, par exemple, était de cette remuante espèce. Comme je lui demandais pourquoi elle courait tant le monde, elle me répondit, soudain grave : «Nous sommes des prisonniers, notre planète est notre cellule. Je veux en explorer les recoins avant de la quitter. »

Rien de plus étranger à La Fontaine que cette maladie-là. Champion de l'aller-retour entre Château-Thierry et Paris, il ne s'aventura, de TOUTE SA VIE, que dans UN SEUL voyage. Et encore, poussé par des circonstances dangereuses. Fidèle ami de Fouquet, mieux valait se mettre au vert quelque temps lorsque celui-ci fut arrêté, accusé de complot et emprisonné. Quant à la destination choisie, ce n'était pas l'Amazonie ni la Sibérie, mais… Limoges !

Jannart, un oncle par alliance, est contraint d'y partir, exilé par Colbert. La Fontaine décide de l'accompagner.

Nous sommes le 23 août 1663.

— Au revoir, dit-il à Marie, sa femme. Je t'écrirai.

Il a tenu parole. Ses six lettres sont un délice.

La Fontaine n'est pas riche que de ses fables. Pour votre plaisir, allez donc butiner dans ses autres écrits !

Présentation de ses compagnons et compagnes de carrosse :

Point de moines mais, en récompense trois femmes, un marchand qui ne disait mot, et un notaire qui chantait toujours, et qui chantait très mal […]. Parmi les trois femmes, il y avait une Poitevine qui se qualifiait comtesse ; elle paraissait assez jeune et de taille raisonnable, témoignait avoir de l'esprit, déguisait son nom, et venait de plaider en séparation contre son mari ; toutes qualités de bon augure et j'y eusse trouvé matière de cajolerie, si la beauté s'y fût rencontrée…

Je vous rappelle qu'il s'adresse à son épouse.

Revenons à la soi-disant comtesse « qui se plaignit fort, le lendemain, des puces. Je ne sais si ce fut cela qui éveilla le cocher ; je veux dire les puces du cocher, et non celles de la comtesse : tant y a qu'il nous fit partir de […] grand matin ».

66

Pauvre La Fontaine qui aurait volontiers dormi davantage !

Voici Blois qui « est en pente comme Orléans, mais plus petit et plus ramassé ; les toits des maisons y sont disposés [...] de telle manière qu'ils ressemblent aux degrés d'un amphithéâtre. Cela me parut très beau, et je crois que difficilement on pourrait trouver un aspect plus riant et plus agréable ».

Puis Bellac :

Quoique nous eussions choisi la meilleure hôtellerie, nous y bûmes du vin à teindre les nappes.

Occasion pour lui de remarquer que, depuis déjà des kilomètres, « l'on ne parle quasi plus français ». Qu'importe, on peut toujours cajoler les servantes car « les fleurettes s'entendent par tous pays, et ont cela de commode qu'elles portent avec elles leur truchement ». Permettez-moi de vous rappeler que ce dernier joli mot veut dire d'abord interprète, ce qui exprime les sentiments.

Chemin faisant, qui dura trois semaines, notre La Fontaine philosophe :

Je ne parlai d'autre chose que des commodités de la guerre : en effet, si elle produit des voleurs, elle les occupe ; ce qui est un grand bien pour tout le monde, et particulièrement pour moi, qui crains naturellement de les rencontrer.

Enfin parut Limoges :

Je vous donne les gens de Limoges pour aussi fins et aussi polis que peuple de France : les hommes ont de l'esprit en ce pays-là, et les femmes de la blancheur.

En dépit de cette bonne expérience, cette « fantaisie de voyager », comme il dit, ne lui revint plus jamais.

20

La machine à gloire

On sait que Versailles, sous couvert de parc, est un livre. Un livre de mille hectares où chaque statue, chaque fontaine, chaque perspective, chaque reflet sur l'eau du Grand Canal raconte la gloire du Roi-Soleil.

— Vous voulez dire que Versailles est une propagande ?

— Affirmatif !

Versailles est le seul exemple, sans doute avec les grands jardins chinois, où le projet de louanger un tout-puissant a fait naître une œuvre de génie.

Colbert, le ministre principal, ne voulait pas être en reste. Lui aussi voulait célébrer son roi. C'est ainsi qu'il demande à un très médiocre immortel, je veux dire un académicien terne (il en est), de lui rassembler des écrivains disposés à tremper leur plume dans l'encre de la flatterie. En échange, ils recevraient pension. Le terne s'appelait Jean Chapelain, auteur vite oublié de quelques critiques et d'un indigeste poème héroïque, dont le titre déjà, selon votre caractère, vous endort ou vous tord de rire : *La Pucelle ou la France délivrée*. Les candidats se bousculent. Chapelain s'acquitte de sa mission avec conscience et sans doute jouissance, l'ineffable et durable délice de la revanche : ricanez de moi tant que vous voulez, confrères, gaussez-vous tant qu'il vous plaira sur le ridicule de ma *Pucelle*, c'est moi qui tiens les cordons de la bourse !

Chapelain sélectionne grave, ne gardant que les dociles garantis. Une liste est dressée. Au travail, messieurs !

Écoutons Marc Fumaroli. Le titre de sa merveille de livre, *Le Poète et le Roi. Jean de La Fontaine en son siècle*[1], résume l'affaire :

> Le contraste entre cet enrôlement des lettrés par un lettré amer, et l'élégance avec laquelle Nicolas Fouquet avait pratiqué le mécénat, était par trop criant. Même le mécénat, parfois moins élégant, des banquiers et des gens d'affaires, qui avait prévalu au temps de Mazarin, ministre avare et indifférent aux Lettres françaises, avait paru très compatible avec la liberté des poètes.

Pour Chapelain, le poète pensionné n'est qu'un « instrument de la gloire du roi par les œuvres de l'esprit ». Il est à rappeler qu'à la mort du tout-puissant Chapelain c'est Charles Perrault, oui, l'auteur des contes, *Cendrillon*, *Le Petit Poucet*, *La Belle au bois dormant*, oui, c'est ce même homme, cet enchanteur, qui prit la suite pour enrégimenter les plumitifs.

---

1. Éditions De Fallois, Paris, 1997.

Cette usine ainsi créée, cette « politique culturelle » avant l'heure, Fumaroli la baptise « machine à gloire ». Il la compare à une autre machine, celle de Marly, construite pour détourner un peu de la Seine au profit de Versailles qui souffrait de sécheresse. « Par le jeu de ces pensions, Colbert transforme les Lettres françaises en Grandes Eaux. »

La Fontaine n'avait aucune chance de devenir l'un de ces élus. Il avait été trop proche du réprouvé Fouquet. Et pire, bien loin d'avouer sa faute, il avait persisté en défendant son ami.

Comment allait-il subsister ?

Rappelons-le : je vous parle d'un temps où les droits d'auteur n'avaient pas encore été inventés. Les militants du téléchargement gratuit sur la Toile feraient bien de réfléchir à cette question toute simple, quoique jugée par eux vulgaire : comment vivre de son art, sans le soutien d'aucune fortune personnelle, sans la protection, toujours monnayable, d'une notoriété déjà bien ancrée, et si vous vous refusez à la servitude ? Ce n'est pas la première fois, me direz-vous, ni sans doute la dernière, que la liberté tue la liberté.

21

Bienvenue en Coquinerie

À peine évoqué le nom de La Fontaine, un sourire, souvent niais, vous répond : «Ah, les *Fables* ! » Et vous-même, lecteur, lectrice, je vous connais, vous vous impatientez : quand va-t-il donc en venir au cœur de l'affaire, c'est-à-dire aux chefs-d'œuvre ? Sachez que la vérité seule m'impose son rythme. Je ne fais que respecter le pas du poète. Si l'on excepte quelques poèmes, longs ou courts, et des textes de circonstance, les premières écritures, vraies écritures, de notre ami ne furent pas des fables mais… des contes, et tous fort lestes. Sa vie entière, malgré les condamnations, innombrables, malgré ses promesses, mille fois répétées, d'en finir avec l'indécence, il n'a pu s'empêcher d'écrire des coquineries. Dans les papiers retrouvés chez lui, après qu'il fut mort en dévot pénitent et repenti, on a découvert… un conte inédit, et pas des moins fripons. Il l'avait appelé : *Les Quiproquos*. Joli titre, non ? Et quel pied de nez aux moralistes !

Réjouissances à Château-Thierry, en ce printemps 1664. On vient d'y voir arriver une très jolie et très jeune Marie-Anne (quinze ans), née Mancini, donc nièce de Mazarin, et depuis peu duchesse de Bouillon. Son mari le duc, seigneur de la ville, entre autres domaines, préférait y voir installée et surveillée sa femme plutôt que livrée aux tentations de Paris. D'autant que lui s'en était allé au loin combattre le Turc.

Dans son château, Marie-Anne se morfond. Que faire de ses journées ? On lui recommande un certain auteur local, Jean de La Fontaine. Il pourrait vous amuser. Elle le convoque. Bonne idée. Il va vite la désennuyer. Notamment par ses récits polissons.

La tradition en était ancienne. Au Moyen Âge, sur les marchés, des conteurs secouaient de rire les foules par leurs grivoiseries. Au milieu du XVe siècle, Philippe le Bon, duc de Bourgogne, demanda qu'on lui écrivît les histoires les plus entendues. *Cent nouvelles nouvelles* devint ainsi le premier recueil de contes de la littérature française, avec un ton des plus libres. Un siècle plus tard, Rabelais reprendra le flambeau. Ce n'est pas un hasard si, du nom d'un lieu, la Gaule, on a tiré le substantif « gauloiserie », et du père de Pantagruel l'adjectif « rabelaisien ».

Les Italiens n'étaient pas en reste, et fort appréciés dans notre pays. À commencer par Boccace (1313-1375) et son *Décaméron*. C'est à un autre Italien, Ludovico Ariosto, surnommé l'Arioste (1474-1533, l'auteur de *Roland furieux*), que La Fontaine emprunte l'aventure de Joconde et la transcrit en vers libres. Il commence sa lecture.

Jadis régnoit en Lombardie
Un prince aussi beau que le jour
Et tel que des beautés qui régnoient à sa cour
La moitié lui portoit envie,
L'autre moitié brûloit pour lui d'amour.

La jeune duchesse le supplie de continuer. La Fontaine ne se fait pas prier.

Le prince, « aussi beau que le jour », se demandait si un seul homme dans le royaume l'égalait « en appas ». On lui trouve ce phénomène. À la cour on l'invite. Quand le dénommé Joconde, c'est son nom, prend congé de sa femme, celle-ci pleure, beaucoup.

Va, cruel, va montrer ta beauté singulière,
Je mourrai, je l'espère, avant la fin du jour.

Ayant oublié un bracelet qu'elle lui avait donné, la mauvaise idée vient à Joconde de retourner sur ses pas.

Sans rencontrer personne, et sans être entendu,
Il monte dans sa chambre, et voit près de la dame
Un lourdaud de valet sur son sein étendu.
Tous deux dormoient : dans cet abord, Joconde
Voulut les envoyer dormir en l'autre monde :
Mais cependant il n'en fit rien ;
Et mon avis est qu'il fit bien.
Le moins de bruit que l'on peut faire
En telle affaire,
Est le plus sûr de la moitié
[...]

Vis, méchante, dit-il tout bas ;
À ton remords je t'abandonne.

Joconde remonte sur son cheval et, piquant des deux, galope vers la cour.

Malgré ses bonnes manières de duchesse, Marie-Anne ne peut cacher son impatience :
— S'il vous plaît, la suite, monsieur de La Fontaine ! Ne me faites pas languir !
La Fontaine sourit. Il n'était pas dans sa nature de faire souffrir une femme. Sans tarder il reprend.

Le prince accueille Joconde avec déception. La tristesse a retiré au nouveau venu toute beauté.

On remarquoit pourtant en lui,
Malgré ses yeux cavés, et son visage blême,
De fort beaux traits ; mais qui ne plaisoient point,
Faute d'éclat et d'embonpoint
Amour en eut pitié [...].
Car un jour étant seul en une galerie,
Lieu solitaire, et tenu fort secret :
Il entendit en certain cabinet,
Dont la cloison n'étoit que de menuiserie,
Le propre discours que voici : [...]
J'ai beau t'aimer, tu n'es pour moi que glace.

De la rougeur est venue aux joues de Marie-Anne. Une mèche s'est échappée de sa coiffure trop sage.
— Monsieur, ne tardez pas ainsi. Passez au fait.
La Fontaine obtempère. Que voulez-vous qu'il fît ? Il révèle tout à la fois celle qui parlait : c'était

la reine ! Et l'amant n'était autre que... le nain de la cour.

> [...] Joconde [...] en tira
> Consolation non petite :
> Car voici comme il raisonna :
> Je ne suis pas le seul, et puisque même on quitte
> Un prince si charmant, pour un nain contrefait,
> Il ne faut pas que je m'irrite,
> D'être quitté pour un valet.
> Ce penser le console : il reprend tous ses charmes,
> Il devient plus beau que jamais.

À ces mots, La Fontaine, prétextant l'heure tardive et les commentaires malveillants qu'on en pourrait tirer dans la ville, prit congé. En conteur avisé, il savait que la seule règle est de tenir en haleine. Il jura que dès demain, madame la duchesse, je vous narrerai la suite. Il revint ravi en son logis, qui était à deux pas du château. Ravi car en bon auteur, c'est-à-dire inquiet, il se demandait si ce genre de récit allait plaire. Il avait la réponse. Quant à Marie-Anne, elle se prit à aimer sa prison dorée. Et à souhaiter que dure la croisade de son époux, au moins assez longtemps pour apprendre la fin de l'histoire. Et de celles qui allaient suivre. Décidément ce voisin La Fontaine semblait du genre inépuisable. Vive Château-Thierry !

C'est ainsi que, le 10 décembre 1664, parut chez le libraire parisien Barbin, un mince recueil de deux *Nouvelles tirées de Boccace et de l'Arioste* signées d'initiales transparentes M. de L.F. La première nouvelle était « Joconde », dont le seul début ici présenté vous aura donné, j'espère, comme à la jeune duchesse l'envie de connaître la suite. Et la seconde : « Le Cocu battu et content ».

[Certain cadet] vit passer une dame jolie,
Leste, pimpante, et d'un page suivie […].
La dame étoit de gracieux maintien,
De doux regard, jeune, fringante et belle ;
Somme qu'enfin il ne lui manquoit rien […].
Tant se la mit le drôle en la cervelle,
Que dans sa peau peu ni point ne duroit [ici je vous traduis : La Fontaine veut dire que l'amoureux ne tenait plus en place] :
Et s'informant comment on l'appeloit :
C'est, lui dit-on, la dame du village.
Messire Bon l'a prise en mariage,
Quoiqu'il n'ait plus que quatre cheveux gris :
Mais, comme il est des premiers du pays,
Son bien supplée au défaut de son âge.

Je vous laisse imaginer la suite. Et déjà je vous entends prendre la résolution de vous plonger dans ces contes. Vous aurez de quoi vous plaire : il en est plus de soixante. Gageons que vous découvrirez, comme je le fis moi-même, qu'à bien des moments ces *Contes* valent les *Fables*. Voulez-vous un nouvel exemple ? Le voici.

À FEMME AVARE GALANT ESCROC
NOUVELLE TIRÉE DE BOCCACE

Qu'un homme soit plumé par des coquettes,
Ce n'est pour faire au miracle crier.
Gratis est mort : plus d'amour sans payer :
En beaux louis se content les fleurettes. [...]
Je choisirai pour exemple Gulphar.
Le drôle fit un trait de franc soudard ;
Car aux faveurs d'une belle il eut part
Sans débourser, escroquant la chrétienne. [...]
Celui-ci donc chez sire Gasparin
Tant fréquenta, qu'il devint à la fin
De son épouse amoureux sans mesure.
Elle étoit jeune, et belle créature,
Plaisoit beaucoup, fors un point qui gâtoit
Toute l'affaire, et qui seul rebutoit
Les plus ardents : c'est qu'elle étoit avare.
Ce n'est pas chose en ce siècle fort rare. [...]
Le jeu, la jupe, et l'amour des plaisirs,
Sont les ressorts que Cupidon emploie :
De leur boutique il sort chez les François
Plus de cocus que du cheval de Troie
Il ne sortit de héros autrefois.
Pour revenir à l'humeur de la belle,
Le compagnon ne put rien tirer d'elle,
Qu'il ne parlât. [...]
Gulphar donc parle, et si bien qu'il propose
Deux cents écus. La belle l'écouta :
Et Gasparin à Gulphar les prêta
[...] puis aux champs s'en alla,
Ne soupçonnant aucunement sa femme.
Gulphar les donne en présence de gens :
Voilà, dit-il, deux cents écus comptants,

Qu'à votre époux vous donnerez, Madame.
La belle crut qu'il avait dit cela
Par politique, et pour jouer son rôle.
Le lendemain elle le régala
Tout de son mieux, en femme de parole.
Le drôle en prit, ce jour et les suivants
Pour son argent, et même avec usure :
À bon payeur on fait bonne mesure.
Quand Gasparin fut de retour des champs,
Gulphar lui dit, son épouse présente :
J'ai votre argent à Madame rendu,
N'en ayant eu pour une affaire urgente
Aucun besoin, comme je l'avais cru :
Déchargez-en votre livre, de grâce.
À ce propos, aussi froide que glace,
Notre galande avoua le reçu.
Qu'eût-elle fait ? on eût prouvé la chose.
Son regret fut d'avoir enflé la dose
De ses faveurs : c'est ce qui la fâchoit :
Voyez un peu la perte que c'étoit !
En la quittant, Gulphar alla tout droit
Conter ce cas, le corner par la ville,
Le publier, le prêcher sur les toits.
De l'en blâmer il serait inutile :
Ainsi vit-on chez nous autres François.

22

Le dommage d'un nez trop long

Pendant ce temps-là, que devenait la famille cas-
telthéodoricienne de notre La Fontaine ? Un petit
Charles lui était né, en 1653. Heureusement qu'il
avait un parrain, le cher ami et chanoine Maucroix.
Car de son géniteur, il semble qu'il n'ait jamais rien
reçu : ni affection, ni même le moindre intérêt. Il y
a des enfants dans les *Fables*, et beaucoup de beaux
rapports père-fils. Mais les œuvres d'un artiste, si
elles se nourrissent de sa vie, en racontent souvent
l'inverse.

Et Marie ?

La Fontaine se souvenait-il, parfois, qu'il avait
femme ?

Elle lui avait apporté des rentes, qu'il avait vite
épuisées.

Au début de leur mariage, une gaieté commune
les avait rapprochés, une sorte d'amitié. Au fil des
années, elle s'était évanouie, rongée par un mode de
vie qui séparait, sans doute aussi par les reproches
d'une épouse se sentant à juste titre vraiment trop
dédaignée.

La Fontaine a-t-il, un jour, aimé sa femme ?

Plutôt que ratiociner, plutôt que tirer des plans sur d'improbables comètes, répondons à cette question par une autre : amoureux de toutes les femmes, La Fontaine avait-il en lui cette disposition particulière, et pas si fréquente, d'après ce que me disent les rares personnes franches qu'il m'ait été donné de rencontrer dans une vie déjà longue : la capacité à préférer ?

Encore faut-il que la personne donne corps à cette préférence. Et dans son entièreté.

Il y a des défauts qu'on note, dès le premier coup d'œil. Une taille trop basse. Une peau qu'on devine rêche. Un très léger strabisme. L'enthousiasme des commencements vous les fait oublier.

Mais la mémoire n'est pas bonne fille. Le moment venu, au premier et pourtant infime des agacements domestiques, elle saura vous rappeler cette réticence et la monter en sauce, la sauce du désamour.

Sitôt rencontrée cette jeune demoiselle Héricart, La Fontaine a su que jamais son nez ne lui plairait.

> Mais s'il arrive que mon cœur
> Retourne à l'avenir dans sa première erreur,
> Nez aquilins et longs n'en seront pas la cause.

Pauvre Marie, qu'y pouvait-elle ? La chirurgie dite esthétique n'était pas inventée. Quand la Nature vous avait doté d'un fort appendice, on se le gardait pour la vie. Pas question de rabot !

Mais cette affaire de nez a des racines plus profondes. Du côté Pidoux, la mère de notre Jean, on avait, a-t-il écrit, « du nez, et abondamment ».

Alors, une dame ayant du nez ressemblerait-elle toujours trop à sa mère pour lui plaire assez ?

Je laisse l'affaire aux psychanalystes, ce que je ne suis pas. Saluant les thérapeutes mais préférant la liberté.

23

Mauvaise affaire, tristes chicanes

Selon l'élégante et forte formule de notre cher ancien président Jacques Chirac, « les emmerdes, ça vole toujours en escadrille ».

Après avoir abattu Fouquet, le sort s'acharne sur son protégé. Voici qu'on l'accuse… d'usurpation de noblesse.

Depuis toujours, les bourgeois quelque peu enrichis voulaient devenir nobles, ne serait-ce que pour échapper à la taille, un impôt que ne payaient que les roturiers.

Les finances publiques ne pouvaient supporter de telles dérives, obligées qu'elles étaient de devoir combler sans cesse de vertigineux déficits. On voit que cette maladie du découvert ne date pas d'aujourd'hui. L'administration tenait donc des listes de fraudeurs qui étaient régulièrement poursuivis.

Depuis quelque temps, le nom de notre poète paraissait, sans qu'il le sache, sur l'une de ces listes. Au bas de deux documents notariés, il avait eu l'imprudence d'ajouter à son patronyme le plus bas des titres de la noblesse : La Fontaine, écuyer.

Un collecteur d'impôts conservait précieusement par-devers lui ce papier compromettant. Il attendait le bon moment pour le brandir, avec un intérêt évident : le débusqueur de faux noble touchait une part de l'amende encaissée. Le bon moment ne tarda pas. Fouquet emprisonné ne pouvait plus sauver quiconque.

C'est ainsi que La Fontaine se retrouve accusé et condamné à verser deux mille livres. Il n'en a pas la première et la somme est énorme.

Alors il envoie une longue supplique au duc de Bouillon, dont nous savons que Château-Thierry dépend.

Jean Orieux en a retrouvé les termes. Ils attendriraient le cœur le plus endurci.

Mais le moins fier, mais le moins vain des hommes,
Qui n'a jamais prétendu s'appuyer
Du vain honneur de ce mot d'écuyer,
Qui rit de ceux qui le veulent paraître
Qui ne l'est point, qui n'a point voulu l'être [...].
Que me sert-il de vivre innocemment,
D'être sans faste, et cultiver les muses ?

Pourquoi m'accuse-t-on ? demande le poète. Pour deux malheureux contrats !

Signés de moi, mais sans les avoir lus :
Et lisez-vous tout ce qu'on vous apporte ?
J'aurais signé ma mort de même sorte.

En désespoir de cause, il fait appel à Marie-Anne, la jeune et charmante duchesse (que nous avons croisée en d'autres circonstances plus légères) :

Si votre épouse était même d'humeur
À dire encore un mot de cette affaire,
Comme elle sait persuader et plaire,
Inspire un charme à tout ce qu'elle dit,
Touche toujours le cœur quand et l'esprit,
Je suis certain qu'une double entremise
De cette amende obtiendrait la remise.

Il faut croire que ces mots portèrent. De l'amende on n'entendit plus jamais parler. La Fontaine n'en avait pas fini pour autant avec les embarras pécuniaires.

Sa charge des Eaux et Forêts ne lui rapporte presque plus rien. Les mêmes Bouillon, quoique duc et duchesse, ne lui versent pas ce qu'ils lui doivent. Bientôt il se voit contraint de vendre le dernier bien qu'il lui reste encore à Château-Thierry : la maison paternelle. Où sa femme et son fils iront-ils habiter ? Nul ne le sait. Et il semblerait bien qu'il ne s'en soucia guère. Ayant toujours vécu en quasi-célibataire, il continua. Maintenant, toutes ses rentes sont épuisées. Comme nous savons, la haine de Colbert lui ferme la porte des subventions. Il n'a, au sens strict, plus un sou. Jusqu'à la fin de sa vie, il va dépendre, pour se nourrir comme pour se loger, de la générosité, aléatoire, de ses amis.

24

Enfin, les fables

Chaque existence suit son rythme. Il en est d'activité continue. Ces vies-là sont rares et, au bilan, pas forcément les plus productives. Il en est d'autres qui commencent rapides, mais s'exténuent vite ou soudain se taisent, convaincues d'avoir tout dit. Il en est enfin qui flânent, qui, telle une rivière, par exemple la Marne, méandrent, donnant au temps tout le temps qu'il veut.

Les années passent. Depuis longtemps, notre La Fontaine a dépassé la quarantaine.

Chacun sait que, sous ses dehors agités et dispersés, rien ne l'a jamais empêché d'écrire : ni ses mondanités, ni ses polissonneries, ni ses allers et retours perpétuels entre Paris et Château-Thierry, ni la gestion, prenante et fastidieuse, de sa charge des Eaux et Forêts. Parmi les lettrés, mais aussi auprès d'un public grandissant, il est déjà bien connu, et fort apprécié. Pour ses poèmes, pour ses contes et pour d'innombrables autres textes. Tout le monde ignore pourtant, sauf Maucroix, que l'essentiel est encore à venir et que, sans hâte, page après page, se mitonne un chef-d'œuvre. C'est à cet ami, et semble-t-il à lui seul, que La Fontaine montre ses premières fables. C'est à lui qu'il réclame un avis sincère. C'est lui dont il attend, et suit, les suggestions. La Fontaine rabote, il peaufine, sans cesse sur le métier remet son ouvrage, il s'acharne à bien concevoir pour énoncer clairement. Il ne s'arrête que n'ayant « plus rien trouvé à changer ».

Le mot fable vient de la racine latine *fari* : parler.
La *fabula* est un propos, un récit.
D'après le dictionnaire de l'Académie française, édition de 1694, la fable est une chose feinte, inventée pour instruire et pour divertir. Et La Fontaine de préciser, dans sa préface :

> L'apologue [quasi homonyme de fable] est composé
> de deux parties, dont on peut appeler l'une le corps,
> l'autre l'âme. Le corps est la fable ; l'âme, la moralité.

L'autre couple à l'œuvre dans une fable est celui que forment le mensonge et la vérité. Le mensonge (l'affabulation) pour dire la vérité. C'est la définition que donne Aragon du roman : le *mentir vrai*.

Un premier recueil est prêt, début 1667.
Le privilège d'édition lui est accordé, en mars.
Il faut attendre le 31 mars de l'année suivante pour que paraisse enfin, chez les libraires parisiens Barbin et Thierry, un recueil de *Fables choisies mises en vers par M. de La Fontaine*.
Vingt-six fables.

La première raconte l'histoire d'une cigale ayant chanté tout l'été. La deuxième apprend que tout flatteur vit aux dépens de celui qui l'écoute. Une leçon, n'est-ce pas, qui vaut bien un fromage, sans doute. La troisième se moque d'une grenouille rêvant de devenir bœuf. La suite à l'avenant.

Les fables ayant été dédiées au Dauphin, il faut maintenant aller les présenter au roi.

La Cour séjourne à Saint-Germain. Sa Majesté, disent les chroniqueurs, lui montra de la bonté, en son honneur offrit un grand dîner et, en complément du dessert, lui remit une bourse de mille pistoles.

La légende, qui est peut-être fable ou pourquoi pas vérité ?, veut que notre poète, tellement dans son rêve, oublia le sac dans le fiacre du retour. Par chance on le retrouva, glissé sous la banquette.

Ces mille pistoles lui rapportèrent plus que, toute sa vie, ses revenus d'auteur. Le succès des fables, immédiatement considérable, n'engraissa que les deux libraires.

La Fontaine venait d'entrer dans la gloire. Il allait fêter le 8 juillet suivant ses quarante-sept ans.

Dans ses sourires de cet été-là, on peut imaginer que sous la malice se glissait de la revanche : vous, qui me disiez paresseux, vous voyez que parfois on ne perd rien à attendre un peu.

*

Même s'il en a, comme personne, illustré le genre, La Fontaine ne fut pas le premier, tant s'en faut, à écrire des fables.

Dans l'édition originale des *Fables*, chaque titre est suivi du nom de celui qui l'a racontée le premier. Bien loin, comme tant d'autres, d'emprunter sans se gêner puis de dissimuler ses sources, La Fontaine proclame, haut et fort, ce qu'il doit aux Anciens. Au fond, ce voyage dans le temps fut le seul qu'il fît jamais. Honneur et merci au premier et plus grand de ses prédécesseurs : Ésope. Car c'est bien lui, ce mystérieux Ésope, l'inventeur des légendaires duos entre la cigale et la fourmi, le corbeau et le renard, le loup et l'agneau. C'est toujours lui, Ésope, qui eut un jour l'idée de faire dialoguer la mort avec un bûcheron.

Pour qui aime les fables, il n'est peut-être pas indifférent de faire plus ample connaissance avec ce M. Ésope. D'ailleurs, pour que nul n'en ignore, La Fontaine, en ouverture de son premier livre, raconte la vie de son inspirateur principal. En s'appuyant davantage sur des légendes que sur des faits avérés.

Les trois seules certitudes sont l'époque de sa vie (VIᵉ siècle avant Jésus-Christ), le lieu de sa naissance (la Phrygie, dans l'ouest de l'actuelle Turquie) et sa disgrâce physique (« On ne saurait dire, rapporte La Fontaine, s'il eut sujet de remercier la nature, ou bien de se plaindre d'elle ; car, en le douant d'un très bel esprit, elle le fit naître difforme et laid de visage, ayant à peine figure d'homme, jusqu'à lui refuser presque entièrement l'usage de la parole. Avec ces défauts, quand il n'aurait pas été de condition à être esclave, il ne pouvait manquer de le devenir »). Notons que telle était cette laideur qu'elle était le premier argument mis en avant au marché par ses premiers propriétaires.

Mesdames et messieurs, voyez cet Ésope ! Certes, il n'est pas fort de muscles. Mais ses traits sont si repoussants, comme vous voyez, qu'il n'a pas son pareil pour tenir calmes les enfants. Vous pouvez aussi l'installer dans un champ : aucun épouvantail ne repoussera mieux les oiseaux granivores.

Bientôt acheté par le philosophe Xantus, il lui tient tête de mille manières. Car la parole lui était par miracle revenue. Et pour le raisonnement, il devait l'avoir reçu en naissant.

Un certain jour de marché, Xantus, qui avait dessein de régaler quelques-uns de ses amis, lui commanda d'acheter ce qu'il y aurait de meilleur, et rien autre chose. [...] Il n'acheta donc que des langues, lesquelles il fit accommoder à toutes les sauces ; l'entrée, le second, l'entremets, tout ne fut que langues. Les conviés louèrent d'abord le choix de ce mets ; à la fin ils s'en dégoûtèrent. Ne t'ai-je pas commandé, dit Xantus, d'acheter ce qu'il y aurait de meilleur ? Eh ! qu'y a-t-il de meilleur que la langue ? reprit Ésope. C'est le lien de la vie civile, la clef des sciences, l'organe de la vérité et de la raison : par elle on bâtit les villes et on les police ; on instruit, on persuade, on règne dans les assemblées [...]. Eh bien ! dit Xantus (qui prétendait l'attraper), achète-moi demain ce qui est de pire : ces mêmes personnes viendront chez moi ; et je veux diversifier.
Le lendemain Ésope ne fit encore servir que le même mets, disant que la langue est la pire chose qui soit au monde : c'est la mère de tous débats, la nourrice des procès, la source des divisions et des guerres. Si on

dit qu'elle est l'organe de la vérité, c'est aussi celui de l'erreur et, qui pis est, de la calomnie. [...] Quelqu'un de la compagnie dit à Xantus que véritablement ce valet lui était fort nécessaire ; car il savait le mieux du monde exercer la patience d'un philosophe.

Par cent autres épisodes de la même eau, Ésope se fait connaître. De guerre lasse et non sans un vif regret, Xantus lui donne sa liberté. Chacun le recherche, notamment les rois de Lydie et de Babylone. Il enchante par des fables, qu'il s'est mis à écrire. Il enseigne, par sa sagesse, toute de bon sens, de logique tranquille et de sourire. Invité à Delphes, on n'y supporte pas son ironie, qui peut être mordante. Il mourra précipité, c'est-à-dire jeté d'une falaise. Sans doute vers 564 avant notre ère.

*

Personne ne peut dire qu'il est LE commencement. Avant chacun de nous, tellement d'autres ont vécu. Même les plus grands sont maillons de la chaîne. Ésope n'est pas le seul inspirateur. Nul ne sait mieux que La Fontaine ce qu'il doit, ce qu'il doit AUSSI, à tous les autres : Horace (le dialoguiste des deux rats, celui des villes et celui des champs), Sénèque, Avienus, Anon, Nevelet... sans oublier deux poètes, séparés dans le temps par plus de mille ans. Quand je vous disais que La Fontaine n'avait aimé voyager que dans le temps...

Le premier de ces Anciens s'appelle Caius Julius Phaedrus, plus brièvement dit Phèdre. Il vécut entre dix avant Jésus-Christ et cinquante après. Lui aussi, comme Ésope, naquit esclave, dans la région de Thrace (l'actuelle Bulgarie). On ne sait pourquoi il vint s'installer à Rome. On ne sait quand il se mit à écrire. En récompense de ses fables, qui plurent à l'empereur, il fut affranchi. Ces fables étaient pour moitié tirées d'Ésope. La fantaisie était venue à Phèdre de les versifier. Mais il eut des trouvailles à lui, et pas des moindres ! « La Grenouille qui veut se faire aussi grosse que le bœuf », c'est d'abord une histoire inventée par Phèdre. « Les Deux Mulets » aussi. Et « Le Renard et la Cigogne ». Et « Le Coq et la Perle »…

Le deuxième à qui notre La Fontaine peut dire grand merci est un Français, de Cahors. Clément Marot (1496-1544). Quel malheur de porter ce nom qui, différemment orthographié, veut dire vaurien ! Avouez qu'il est plus commode pour la postérité de s'être nommé La Fontaine ! Mais quelle vie que celle de ce Clément : poète officiel de François Ier avant d'être emprisonné puis exilé pour son soutien à la Réforme.

Au sortir du Moyen Âge, il venait de cet homme-là une lumière neuve, une élégance de la tristesse, une gaieté quoi qu'il arrive, une politesse de la légèreté, une manière de dire beaucoup sans se croire forcé d'appuyer, une manière de résumer, quel besoin de s'épuiser et d'ennuyer par de longs verbiages ? Toutes ces qualités ne vous rappellent-elles pas quelqu'un ?

Voulez-vous des exemples ?

En voici deux :

À UNE MÉDISANTE

On le m'a dit, dague à rouelle,
Que de moi en mal vous parlez :
Le vin que si bien avalez
Vous le met-il en la cervelle ?

Vous êtes rapporte-nouvelle,
D'autre chose ne vous mêlez,
On le m'a dit.

Mais si plus vous advient, méselle,
Vos reins en seront bien gallés :
Allez, de par le diable, allez,
Vous n'êtes qu'une maquerelle.
On le m'a dit.

DE L'AMOUREUX ARDANT

Au feu, qui mon cœur a choisi,
Jetez-y, ma seule Déesse,
De l'eau de grâce et de liesse,
Car il est consommé quasi.

Amour l'a de si près saisi
Que force est qu'il crie sans cesse
Au feu.

Si par vous en est dessaisi,
Amour lui doint plus grand détresse,
Si jamais sert autre maîtresse :
Doncques, ma dame, courez-y
Au feu.

*

Mais notre Occident n'a pas le monopole de l'enchantement. Shéhérazade n'est ni grecque, ni latine.
De la Chine à la Perse, en passant par l'Inde et tout
le monde arabe, on cultivait l'art du conte et de la
fable. Les voyageurs colportaient ces merveilles. La
Fontaine en prit forcément connaissance.

Écoutez la fable « Le Songe d'un habitant du
Mogol ». Notre ami s'y promène dans les imagi-
naires lointains et tend l'oreille aux dialogues entre
les cultures du monde.

Jadis certain Mogol vit en songe un Vizir
Aux Champs Élysiens possesseur d'un plaisir
Aussi pur qu'infini, tant en prix qu'en durée ;
Le même songeur vit en une autre contrée
Un Ermite entouré de feux,
Qui touchoit de pitié même les malheureux.
Le cas parut étrange, et contre l'ordinaire :
Minos en ces deux morts sembloit s'être mépris.
Le dormeur s'éveilla, tant il en fut surpris.
Dans ce songe pourtant soupçonnant du mystère,
Il se fit expliquer l'affaire.
L'interprète lui dit : « Ne vous étonnez point ;
Votre songe a du sens ; et, si j'ai sur ce point
Acquis tant soit peu d'habitude,
C'est un avis des Dieux. Pendant l'humain séjour,
Ce Vizir quelquefois cherchoit la solitude ;
Cet Ermite aux Vizirs alloit faire sa cour. »

Si j'osois ajouter au mot de l'interprète,
J'inspirerois ici l'amour de la retraite :
Elle offre à ses amants des biens sans embarras,
Biens purs, présents du Ciel, qui naissent sous les pas.
Solitude où je trouve une douceur secrète,
Lieux que j'aimai toujours, ne pourrai-je jamais,
Loin du monde et du bruit, goûter l'ombre et le frais ?
Oh ! qui m'arrêtera sous vos sombres asiles !
Quand pourront les neuf Sœurs, loin des cours et des villes,
M'occuper tout entier, et m'apprendre des Cieux
Les divers mouvements inconnus à nos yeux,
Les noms et les vertus de ces clartés errantes
Par qui sont nos destins et nos mœurs différentes !
Que si je ne suis né pour de si grands projets,
Du moins que les ruisseaux m'offrent de doux objets !
Que je peigne en mes vers quelque rive fleurie !
La Parque à filets d'or n'ourdira point ma vie,
Je ne dormirai point sous de riches lambris ;
Mais voit-on que le somme en perde de son prix ?
En est-il moins profond, et moins plein de délices ?
Je lui voue au désert de nouveaux sacrifices.
Quand le moment viendra d'aller trouver les morts,
J'aurai vécu sans soins, et mourrai sans remords.

25

Animaux

Qu'est-ce qu'un « emblème » ?

Une figure symbolique.

Ainsi le lis est-il l'emblème de la pureté, le soleil l'emblème de Louis XIV.

Nombreux, de tout temps, furent les animaux choisis pour emblèmes. Rien de plus facile que de leur prêter des traits humains, qualités ou défauts. « La fauvette, écrit Buffon dans son *Histoire naturelle*, fut l'emblème des amours volages, comme la tourterelle de l'amour fidèle. »

Depuis la nuit des temps, en France dès le XIIe siècle avec *Le Roman de Renart*, on savait que le goupil était rusé. Et que l'agneau était doux, le singe voleur, le loup féroce, la grenouille envieuse…

De même qu'il reprend les fables inventées par des Anciens, La Fontaine s'inscrit dans la longue tradition des récits animaliers.

La ménagerie qu'il convoque vaut en diversité l'arche de Noé. Outre les vedettes bien connues, cigale, fourmi, rat (des villes et des champs), lion, mouche (du coche), agneau, belette et autre petit lapin, nous allons voir entrer en scène des espèces moins habituées aux projecteurs : chat-huant, mulet, frelon, puce, scarabée, vautour… J'en ai compté plus de… soixante !

Il faut se figurer que le monde du XVIIe siècle n'est pas le nôtre. Nos bêtes à nous sont des chats, des chiens trop apprivoisés pour mériter encore le noble qualificatif d'animaux. Les gros ruminants, nous ne leur rendons visite qu'une fois l'an, au salon de l'Agriculture. Quant à la sauvagerie qui nous reste, elle est enfermée dans les zoos et nourrie de croquettes light.

Versailles n'est qu'une parade. Le siècle de La Fontaine est d'abord paysan. Seule une minorité vit en ville, où chacun garde des attaches avec la famille demeurée « au village », comme en Afrique aujourd'hui. La chasse n'est pas une activité de plein air, un lâcher de faisans, réservée à quelques-uns et décriée par beaucoup. C'est une nécessité, pour se nourrir. Et un rendez-vous régulier avec cette Nature, à laquelle on sait qu'on appartient toujours. Pour le meilleur et pour le pire. Pour la subsistance qu'elle offre comme pour la terreur qu'elle inspire.

Château-Thierry est une ville ouverte sur le vivant, les champs, les vignes, les arbres, la rivière. Dès ses premiers jours, La Fontaine a vécu dans leur intimité. Le petit Jean connaît comme personne chacun des peuples y ayant trouvé domicile : le volant comme le rampant, le galopant vite comme le trottant menu. Il sait leurs habitudes, il participe à leurs peurs, il identifie leurs chants. Leur langue à tous, il l'a apprise en même temps que le français. Ces deux langues maternelles se sont mêlées, celle des mots et celle des animaux. Et la vérité, la profonde vérité des fables, leur justesse (au sens d'une note « juste » en musique), viennent de cette fraternité. À l'opposé d'un Descartes qui ne leur accorde aucune attention et parle d'« animaux-machines ».

S'adressant à « Monseigneur le Dauphin », encore un animal d'ailleurs, à qui le premier recueil des *Fables* est dédié, La Fontaine écrit :

Tout parle en mon ouvrage, et même les poissons ;
Ce qu'ils disent s'adresse à tous tant que nous sommes ;
Je me sers d'animaux pour instruire les hommes.

C'est peut-être ce dialogue oublié que nous cherchons aussi, dans les *Fables*, cet échange avec le monde animal, sans morgue ni mépris, sans recherche de maîtrise, un vrai dialogue qui toujours préférera l'écoute à la paresse de la domination. Qui sommes-nous, êtres humains, sinon quelques-uns des animaux ?

26

Amour des eaux

Pourquoi tant de ruisseaux, chez La Fontaine, pourquoi tant d'eaux qui coulent, tant de courants, tant d'ondes pures où se désaltèrent les agneaux, où se mirent les amoureux d'eux-mêmes, où vous entraînent ces divinités subalternes mais enchanteresses, les nymphes ?

Il y a le nom, bien sûr. Un nom est une demeure, la première et pour toujours.

Quand vous vous nommez La Fontaine, l'une des plus belles appellations de la langue française, vous vous devez de fluer et d'abreuver.

La Marne a aussi joué son rôle, déterminant. On ne naît pas impunément sur les bords d'une telle rivière (cinq cent vingt-cinq kilomètres, principal affluent de la Seine). La géographie vous façonne l'âme, au moins autant que la génétique. C'est par le regard que votre forme vous est donnée. Plus que l'artère de Château-Thierry, la Marne en est la puissance tutélaire et la raison d'être. C'est elle qui, dans son grand méandre, a sculpté le paysage, arrondi les collines. Il ne restait plus aux viticulteurs qu'à les étager.

L'eau, c'est le modèle de l'écrivain, surtout s'il se veut poète. Rien de plus souple que l'eau courante, de plus varié dans ses rythmes, tantôt s'emballant pour franchir des « rapides », tantôt calmée, reposée, presque immobile. Ainsi doit se faire la langue. Ainsi doit s'enchaîner tout récit. L'eau nous apprend la liberté. Mieux, elle nous en donne le courage. Vous pouvez être qui vous voulez, nous dit l'eau : héron, lion, grenouille, moucheron… Regardez-moi, prenez exemple : un jour, je suis glace ; le lendemain, nuée. Un jour, je tombe de haut : il pleut. Le lendemain, je suis au ciel, après m'être évaporée.

N'oublions pas la paresse, si chère amie de La Fontaine. Un cours d'eau, c'est la voie des taoïstes, un chemin qui avance tout seul. Quel plus doux rêve que celui de s'y laisser glisser ! Ah ! si la vie pouvait vous prendre en charge complète. Ah ! si la vie pouvait vivre pour vous !

Nous sommes d'accord : les mathématiques sont le langage du monde, l'ordre qui le soutient et l'explique. Mais la musique est la plus proche des expressions de la vie. Et comme toute vie vient de l'eau, le vrai couple est un trio : l'eau, la vie, la musique. Un trio à l'équilibre toujours instable, comme tous les trios, mais inséparable, comme souvent les ménages à trois.

27

Un trésor parmi tant d'autres

N'accablons pas nos enseignants : dans le maigre temps qui leur était réservé, ils ne pouvaient pas nous faire découvrir *toutes* les fables.

Et trouvons-nous aussi des excuses : au petit âge qui était le nôtre à l'école, certaines fables ne répondaient aucunement à nos préoccupations d'alors. Nous feuilletions les pages sans qu'elles nous parlent.

Comme rares, parmi nous, sont celles et ceux qui prennent le temps de se replonger dans les « classiques », voici l'un de ces trésors méconnus, tiré du livre I.

L'HOMME ENTRE DEUX ÂGES
ET SES DEUX MAÎTRESSES
[Ésope]

Un Homme de moyen âge,
Et tirant sur le grison,
Jugea qu'il étoit saison
De songer au mariage.

Il avoit du comptant,
Et partant
De quoi choisir ; toutes vouloient lui plaire ;
En quoi notre amoureux ne se pressoit pas tant ;
Bien adresser n'est pas petite affaire.
Deux veuves sur son cœur eurent le plus de part :
L'une encor verte, et l'autre un peu bien mûre,
Mais qui réparoit par son art
Ce qu'avoit détruit la nature.
Ces deux Veuves, en badinant,
En riant, en lui faisant fête,
L'alloient quelquefois testonnant,
C'est-à-dire ajustant sa tête.
La Vieille à tous moments de sa part emportoit
Un peu du poil noir qui restoit,
Afin que son amant en fût plus à sa guise.
La Jeune saccageoit les poils blancs à son tour.
Toutes deux firent tant, que notre tête grise
Demeura sans cheveux, et se douta du tour.
« Je vous rends, leur dit-il, mille grâces, les Belles,
Qui m'avez si bien tondu ;
J'ai plus gagné que perdu :
Car d'hymen, point de nouvelles.
Celle que je prendrois voudroit qu'à sa façon
Je vécusse, et non à la mienne.
Il n'est tête chauve qui tienne,
Je vous suis obligé, Belles, de la leçon. »

28

Deux cent quarante-trois !

La Fontaine ne va plus cesser d'écrire des fables et de les faire connaître. Souvent, il en donne lecture, devant ses amis ou pour un public plus large. Parfois, il les publie par deux, par trois. Régulièrement, il les rassemble en recueil.

Un deuxième livre paraît, dix ans après le premier (1678). Il raconte les animaux malades de la peste (« Ils ne mouraient pas tous, mais tous étaient frappés ») ; la laitière et le pot au lait (« Adieu veau, vache, cochon, couvée ») ; le coche et la mouche (« Ainsi certaines gens, faisant les empressés, / S'introduisent dans les affaires : / Ils font partout les nécessaires, / Et, partout importuns, devraient être chassés ») ; le chat, la belette et le petit lapin (« Du palais d'un jeune lapin / Dame belette un beau matin / S'empara ; c'est une rusée ») ; les deux pigeons (qui « s'aimaient d'amour tendre »)…

Le succès ne faiblit pas. Les réimpressions se succèdent : plus de quarante en vingt ans ! Et toujours sans que l'auteur s'en trouve le moins du monde enrichi.

La Fontaine livrera ses dernières fables, qui sont autant d'autres chefs-d'œuvre, à peine plus d'un an avant sa mort...

LE LOUP ET LE RENARD
[Fénelon]

D'où vient que personne en la vie
N'est satisfait de son état ?
Tel voudroit bien être soldat
À qui le soldat porte envie.

Certain Renard voulut, dit-on,
Se faire loup. Hé ! qui peut dire
Que pour le métier de mouton
Jamais aucun loup ne soupire ? [...]

L'ÉCREVISSE ET SA FILLE
[Ésope]

Les sages quelquefois, ainsi que l'Écrevisse,
Marchent à reculons, tournent le dos au port.
C'est l'art des matelots ; c'est aussi l'artifice
De ceux qui, pour couvrir quelque puissant effort,
Envisagent un point directement contraire,
Et font vers ce lieu-là courir leur adversaire. [...]
Mère Écrevisse un jour à sa Fille disoit :
« Comme tu vas, bon Dieu ! ne peux-tu marcher
[droit ?
— Et comme vous allez vous-même ! dit la Fille.
Puis-je autrement marcher que ne fait ma famille ?
Veut-on que j'aille droit quand on y va tortu ? [...] »

104

Il est un Singe dans Paris
À qui l'on avoit donné femme.
Singe en effet d'aucuns maris,
Il la battoit : la pauvre dame
En a tant soupiré qu'enfin elle n'est plus.
Leur fils se plaint d'étrange sorte,
Il éclate en cris superflus :
Le père en rit ; sa femme est morte.
Il a déjà d'autres amours
Que l'on croit qu'il battra toujours.
Il hante la taverne et souvent il s'enivre.
N'attendez rien de bon du peuple imitateur.
Qu'il soit singe ou qu'il fasse un livre :
La pire espèce, c'est l'auteur.

*

La Fontaine a créé un monde. Pour qui veut tenter d'en comprendre la machinerie, rien ne vaut *La
Fabrique des Fables* de Patrick Dandrey.

Sur les deux cent quarante-trois, on en pourrait
citer vingt, trente ou quarante. Par bribes ou tout
entières, elles nous sont, dès l'enfance, entrées dans
la mémoire et jamais n'en sortiront. Il faut donc
qu'elles y aient trouvé logis favorable.

Parmi toutes celles et tous ceux qui, au fil des
époques, se sont exprimés, écoutons Barbey d'Aure-
villy, près de deux cents ans après la mort de La
Fontaine. Ce romancier, poète, essayiste, homme de
plaisirs hanté par le péché, anima la vie littéraire de la
deuxième moitié du XIXᵉ siècle. Au passage, lisez ou

relisez son recueil de six nouvelles *Les Diaboliques*.
Vous y trouverez des portraits de femmes dont chacune donne le vertige. Revenons à La Fontaine.

[Sa] popularité [...] n'a d'égale dans aucune autre
littérature. C'est la seule popularité qui ne soit ni
une bêtise ni un mensonge, car les grands talents
littéraires ne sont pas populaires [...]. La Fontaine
[...] est en nous et il vit en nous. Il fait corps avec
notre substance. Nous avons tous, en France, été
baptisés en Jean de La Fontaine, et fait notre première communion intellectuelle dans ses *Fables*. Et
plus nous avons grandi, plus il a grandi avec nous ;
plus nous avons avancé dans la vie, plus nous avons
trouvé de charme et de solidité dans ces *Fables* qui
sont la vérité, dans ces drames dont les bêtes sont les
personnages et qui racontent si délicieusement et si
puissamment la vie humaine...

29

Couvrez ce travail
que je ne saurais voir

« Couvrez ce sein, que je ne saurais voir.
Par de pareils objets les âmes sont blessées […]. »

C'est ainsi que chez Molière Tartuffe, le comble de l'hypocrite, s'adresse à Dorine, la servante bien en chair.

Rien de tel à prévoir chez La Fontaine. Presque toute sa vie, jusqu'à ses bondieuseries finales, il se délectera des nudités féminines.

Et pourtant, « il a sa pudeur », comme on dit. Quelque chose de lui qu'il ne tolérerait pas qu'on voie. Un grand secret qu'il défend bec et ongles. Un aveu qu'il garde enfoui. Une faiblesse insupportable à dire. Une honte, à piquer des fards.

Ce secret, cet aveu, cette faiblesse, cette honte se résument en un seul mot, une horreur à prononcer : le travail.

Ah ! Tout, plutôt qu'on me croie besogneux ! Je ne suis qu'un flâneur qui baguenaude par les champs et le long des rivières, une herbe entre les dents. Parfois, croisant un loup, un agneau, un lion, un moucheron, un vers me vient, comme ça, d'en haut, d'en bas, d'on ne sait où, en tout cas par la bonté du ciel. J'ai bonne mémoire, surtout des cadeaux que je reçois. Pas besoin de noter. Je continue ma promenade. Et le soir, à ma table, je n'ai qu'à vider ma tête et recopier ce qu'elle a retenu. Voilà comment naît une fable immortelle. Rien de plus facile ! Pourquoi n'essayez-vous pas vous-même ? On y gagne, sinon de l'argent, tout au moins de la notoriété, laquelle peut séduire des dames.

Tel, avec acharnement, a toujours voulu paraître notre La Fontaine : un paresseux, et même LE paresseux type.

Hélas, hélas ! Cette dissimulation n'a pu tenir jusqu'au bout.

Le 1er septembre 1693, un an et demi avant sa mort, paraît le dernier recueil de ses fables. Par on ne sait quelle négligence coupable de l'éditeur, les manuscrits ont pu être consultés. Et là, coup de tonnerre, stupéfaction ! Ratures, refontes, suppression de paragraphes entiers, réécritures, une fois, dix fois, essais, remords, reprises… Bref, DU TRAVAIL. Un travail immense et méticuleux.

Vous souvenez-vous de la fable « Le Renard, les Mouches et le Hérisson » ?

Aux traces de son sang, un vieux hôte des bois,
    Renard fin, subtil et matois,
Blessé par des chasseurs, et tombé dans la fange,
Autrefois attira ce parasite ailé
    Que nous avons mouche appelé.

Le manuscrit montre que du premier jet, il ne reste que... deux vers.

Ceux qui s'intéressent à la quantité avaient déjà noté que, pour un « paresseux », La Fontaine avait quand même beaucoup écrit : deux cent quarante-trois fables, plus de soixante-dix contes et d'innombrables œuvres de circonstance, suppliques, éloges, textes édifiants...

Ceux qui se préoccupent plus de qualité se disaient bien que les divinités ont beau vous être favorables, elles ne peuvent tout le temps tout vous donner : la justesse du trait, la fantaisie, le rythme, la fluidité, la musique, l'humour et cette suprême élégance, la gaieté du désespoir. Il doit bien falloir que ce soi-disant fainéant y ait mis un peu du sien !

Le meilleur résumé de l'affaire, c'est Jean Orieux qui nous le donne : « La Fontaine fit ressembler l'art à l'instinct. »

30

Socrate, la musique et la poésie

Dans sa longue préface à l'édition du premier livre de ses *Fables* (1668), La Fontaine raconte la fin de Socrate. On connaît tous l'histoire du philosophe condamné à mort par un tribunal d'Athènes pour corruption de la jeunesse, négation des dieux ancestraux, ajout pervers et frauduleux de divinités nouvelles. On a tous en mémoire son supplice : boire lentement un poison radical qui s'appelle ciguë, cette plante bisannuelle, aux jolies fleurs blanches, de la famille des opiacées.

Mais on ignore les semaines qui précédèrent ce poignant dénouement.

À cause de certaines fêtes, les autorités avaient repoussé l'exécution de l'arrêt. Durant ce sursis, Socrate reçut la visite de nombreux rêves dans lesquels, chaque fois, des dieux lui ordonnaient de passer ses dernières heures en « s'appliquant à la musique ». La musique, pourquoi pas ? se dit Socrate. Mais comme elle n'a jamais rendu l'homme meilleur, était-il nécessaire de s'y attacher ? Pour ne pas fâcher les dieux, déjà suffisamment courroucés, une autre idée lui vint. Socrate s'avisa que la musique et la poésie ont tant de rapports que c'était plutôt à cette dernière, la poésie, qu'il devait s'appliquer. La Fontaine résume ainsi l'affaire :

> Il n'y a point de bonne poésie sans harmonie ; mais il n'y en a point non plus sans fiction ; et Socrate ne savait que dire la vérité. Enfin il avait trouvé un tempérament ; c'était de choisir des fables qui continssent quelque chose de véritable, telles que sont celles d'Ésope. Il employa donc à les mettre en vers les derniers moments de sa vie.

Et La Fontaine de conclure : si Socrate, en de si tragiques circonstances, a choisi de changer en poésies des fables anciennes, personne, je pense, ne pourra me tenir rigueur de me lancer dans cette entreprise. On voit qu'il choisit haut ses avocats.

> [...] je me suis flatté de l'espérance que si je ne courais dans cette carrière avec succès, on me donnerait au moins la gloire de l'avoir ouverte. [...] Tant s'en faut que cette matière soit épuisée, qu'il reste encore plus de fables à mettre en vers que je n'en ai mis. [...] Je pense avoir justifié suffisamment mon dessein : quant à l'exécution, le public en sera juge.

31

Port-Royal

Dans la vallée de Chevreuse, au sud-ouest de Paris, il était une fois, créée dès 1204, une abbaye de femmes. Écoutez comme les appellations changent, au fil des âges, et glissent de l'une à l'autre. On avait d'abord nommé le lieu « borroy », un mot d'origine celtique qui veut dire « broussailles ». Il évolua en « porroy », le champ où aiment à pousser les poireaux. Lesquels, en latin du Moyen Âge, devinrent, on se demande par quelle fantaisie de scribe rêvant au grand départ, « portus regius », port du roi, pour finir Port-Royal.

Au début du XVIIᵉ siècle, une nouvelle mère supérieure, Angélique Arnauld, entreprend de redonner vigueur aux règles anciennes : solitude, silence, travail. Des conseillers spirituels prestigieux sont invités, dont l'abbé de Saint-Cyran. Cette exigence s'inscrit dans un mouvement plus large, celui de la réforme catholique qui prône la rigueur, seule manière de s'opposer, par l'exemple, aux critiques protestantes. L'abbaye attire de plus en plus de moniales. Or dans cet humide vallon sévit le paludisme. Plusieurs sœurs en étant mortes, il semble plus sage aux survivantes de déménager vers le cœur de Paris (cinquième arrondissement).

L'abbaye de Port-Royal des Champs se trouvait libre. Sans tarder, des hommes viennent s'y retirer pour fuir le monde, et d'abord la Cour. Ils se désignent eux-mêmes comme « les Solitaires ». Quand les religieuses décident de revenir, vers 1650, ces Solitaires s'installent dans une grange qui domine le site.

Cet ensemble devient vite l'un des phares intellectuels du pays. On y débat de la religion en général et de la grâce divine en particulier, développant les thèses de Cornelius Jansen, évêque d'Ypres, apôtre de la prédestination. On y accueille des scientifiques, dont Pascal (Jacqueline, sa sœur bien-aimée, y était moniale). On y réfléchit sur cette grille mystérieuse qu'est une langue, comme posée sur le monde et ordonnant la pensée qu'on peut en avoir. On y révolutionne les méthodes d'enseignement. Pour les éprouver, on y bâtit une école, qui aura pour élève Jean Racine.

Par la force de leur choix, les Solitaires sont libres. Une liberté qui inquiète et défie l'absolutisme. De qui vient le pouvoir, de Dieu ou du roi, même autoproclamé Soleil ? En 1710, Louis XIV donnera l'ordre de raser l'abbaye. Aboutissement logique d'une colère qui durait depuis cinquante ans. Depuis le temps que ses conseillers jésuites le pressaient d'agir…

Comment La Fontaine a-t-il pu se trouver des affinités, lui l'épris de fantaisie et de plaisirs, avec cette société de savants austères ? Il ne faut pas oublier son passage à l'Oratoire. Toute sa vie, et plus encore vers sa fin, il gardera des liens étroits, à commencer par des remords, avec la religion. La Fontaine, écrivain

de la métamorphose, ne sera dans sa vie que contradictions : campagnard mais très urbain, solitaire mais
nourri d'amitiés, sauvage mais habitué des salons,
abreuvé aux Anciens mais le plus Moderne qui soit...
Ajoutons au cocktail l'ingrédient principal : la liberté,
cette liberté qu'il chérit plus que tout. Celle de Port-
Royal vis-à-vis de la Cour ne peut que le ravir.

Tous les écrivains de quelque renom savent cette
plaie, et y échappent ou y cèdent selon les circonstances : la demande de préface.

Un beau jour de 1670, Louis-Henri de Loménie
de Brienne, ex-ministre de Louis XIV, sollicite La
Fontaine, son ancien camarade à l'Oratoire. Dans
l'intention de parfaire l'éducation du jeune prince de
Conti, mais surtout dans le désir brûlant de plaire à
une duchesse très janséniste (Mme de Longueville), il
avait eu l'idée de rassembler des poésies chrétiennes.
Cher Jean, écrirais-tu quelques lignes de présentation ? Et, tant qu'à faire, voudrais-tu bien me céder
quelques fables, histoire de gonfler l'ouvrage ? Bon
comme il était, La Fontaine répondit favorablement
aux deux requêtes.

Le *Recueil de poésies chrétiennes et diverses* parut
en décembre. C'est un fatras où Racine et Boileau
voisinent avec les bigots les plus inconnus.

On ignore si la duchesse récompensa Brienne pour
cette pieuse initiative. En revanche, on sait que Port-
Royal ne s'enorgueillit pas longtemps d'avoir laissé
choisir un tel préfacier. Chacun connaissait l'existence des *Contes*. Mais le scandale n'avait pas encore
éclaté.

32

La volupté de tout

Dans la malle aux mille trésors écrits par La Fontaine, cessez, un instant, de ne chercher que les fables ; oubliez aussi un peu les contes : je vous le promets, je vous donnerai plus tard l'occasion de rougir encore un peu. Si vous m'en croyez, allez donc farfouiller ailleurs. Et vous allez découvrir d'autres œuvres dont, comme moi j'imagine, vous ignoriez jusqu'à l'existence. Pourtant, ce sont elles qui, d'après les aveux du principal intéressé, lui avaient demandé le plus de labeur. Elles qu'il disait préférer, comme on s'attache souvent davantage aux enfants dont le parcours fut difficile. En elles que cet homme au fond si secret avait laissé se révéler le plus de lui-même.

Ainsi *Les Amours de Psyché et de Cupidon*. Parus en 1669, ces *Amours* furent un échec, que La Fontaine vécut douloureusement : jamais ils ne furent réédités avant sa mort. Texte, à nul autre pareil, long flux de prose entrecoupée de poésies. Et récit quelque peu embrouillé par une mythologie grecque et latine omniprésente. Même pour un lecteur de l'époque, familier de l'Olympe, c'était trop.

Résumons, et simplifions, le propos : il s'agit de raconter le cheminement d'une jeune dame vers l'épanouissement que seul Amour peut offrir. Cette demoiselle, La Fontaine l'a prénommée Psyché (l'âme, en grec). La route sera longue, parsemée d'embûches, hérissée de traîtres. Innombrables, les rebondissements. On dirait un roman picaresque mais conté par un charmeur.

Dès que la musique eut cessé, on dit à Psyché qu'il étoit temps de se reposer. Il lui prit alors une petite inquiétude accompagnée de crainte, et telle que les filles l'ont d'ordinaire le jour de leurs noces, sans savoir pourquoi. La belle fit toutefois ce que l'on voulut. On la met au lit, et on se retire. Un moment après, celui qui en devoit être le possesseur arriva et s'approcha d'elle. On n'a jamais su ce qu'ils se dirent, ni même d'autres circonstances que celles-là : seulement a-t-on remarqué que le lendemain les nymphes rioient entre elles, et que Psyché rougissoit en les voyant rire. La belle ne s'en mit pas fort en peine [...]. La seule chose qui l'embarrassoit étoit que son mari l'avoit quittée devant qu'il fût jour, et lui avoit dit que, pour beaucoup de raisons, il ne vouloit pas être connu d'elle, et qu'il la prioit de renoncer à la curiosité de le voir. Ce fut ce qui lui en donna davantage. Quelles peuvent être ces raisons ? disoit en soi-même la jeune épouse ; et pourquoi se cache-t-il avec tant de soin ? Assurément l'oracle nous a dit vrai, quand il nous l'a peint [le mari] comme quelque chose de fort terrible : si est-ce qu'au toucher et au son de voix il ne m'a semblé nullement que ce fût un monstre.

Triomphant de tous les obstacles, Amour et Psyché finissent par se rejoindre :

Je n'en décrirai point [...] les plaisirs de nos époux ; il n'y a qu'eux seuls qui pussent être capables de les exprimer.

La fin du gros livre approche : déjà deux cents belles pages, écrites serré ! La Fontaine n'a jamais été si long. Il considère que Psyché a été bien servie. Au revoir, vivez heureux, faites de beaux enfants, je vais maintenant vous parler de moi :

Ô douce Volupté, sans qui, dès notre enfance,
Le vivre et le mourir nous deviendroient égaux ;
[...]
　　Par toi tout se meut ici-bas.
　　C'est pour toi, c'est pour tes appas
　　Que nous courons après la peine :
　　Il n'est soldat, ni capitaine,
　　Ni ministre d'État, ni prince, ni sujet
　　　　Qui ne t'ait pour unique objet.
　　Nous autres nourrissons, si, pour fruit
　　　　　　　　　　　　　[de nos veilles,
　　Un bruit délicieux ne charmoit nos oreilles,
　　Si nous ne nous sentions chatouillés de ce son,
　　　　Ferions-nous un mot de chanson ? [...]

Et voici en quelques mots le résumé de la bonne vie :

Volupté, Volupté, [...]
Ne me dédaigne pas, viens-t'en loger chez moi ;
   Tu n'y seras pas sans emploi :
J'aime le jeu, l'amour, les livres, la musique,
La ville et la campagne, enfin tout ; il n'est rien
   Qui ne me soit souverain bien [...].

33

Une fée nommée Sablière

La vie de La Fontaine est un conte. Et comme dans tous les contes, on y rencontre des fées. Parmi celles-ci, la plus belle et la plus gentille portait le doux nom de Sablière.

Il était une fois une dame prénommée Marguerite. Elle était née Hessein, oui, comme une société d'abeilles, mais écrit autrement. Bien élevée par un père protestant et banquier, elle se plaît très jeune dans la société des scientifiques, sans devenir pour autant femme savante. Elle a trop de gaieté en elle, et de simplicité. Il se trouve seulement qu'elle aime apprendre. Et pourquoi pas des plus illustres ? Roberval, le physicien, inventeur de la balance à deux fléaux, Sauveur, le théoricien de la musique, Bernier, le philosophe. On dit qu'il rédigea pour elle un résumé des innombrables apports de Gassendi, dont une carte enfin précise de la Méditerranée. Bref, une femme des Lumières avant l'heure. Et en prime, belle, à tomber :

Elle avait des cheveux d'un blond cendré, les plus beaux qu'on se puisse imaginer, les yeux bleus, doux, fins et brillants, quoiqu'ils ne fussent pas des plus grands, le tour du visage ovale, le teint vif et uni, la peau d'une blancheur à éblouir ; les plus belles mains et la plus belle gorge du monde. Joignez à cela un certain air de douceur et d'enjouement […].

Elle épouse un Rambouillet, sieur de La Sablière. Un financier charmant, fermier général, c'est-à-dire collecteur d'impôts, par conséquent riche. Et par ailleurs libertin. Une façon d'être qui aurait pu la blesser mais qui, toute réflexion faite, lui convient. Vite, chacun vit sa vie. Dans le salon de Marguerite, le plus gai de Paris, on croise surtout des hommes. Dont il se dit que l'hôtesse apprécie l'intimité. D'où le surnom trouvé pour elle par Mme de Sévigné : « la Tourterelle », vous savez, ces jolis oiseaux qui ne cessent de roucouler.

Cette dame, aux qualités décidément multiples, était aussi généreuse. Tranquillement généreuse. De temps à autre, elle croisait La Fontaine qu'elle admirait fort. Un jour de 1673, elle se rend compte que ce monsieur plus tout jeune, déjà cinquante-deux ans, n'a plus de logis, et, comme d'habitude, pas d'argent pour en trouver. Pourquoi ne viendriez-vous pas habiter chez moi ? La Fontaine n'est pas du genre à refuser. Il restera deux décennies dans l'hôtel de Marguerite, rue Neuve-des-Petits-Champs, non loin du Palais-Royal. Il ne le quittera que la mort dans l'âme, la mort de cette bonne fée. Il la pleurera jusqu'à sa propre fin.

Que le seul amour de La Fontaine ait été une Sablière, n'avons-nous pas là le titre, et la matière, d'une fable ou d'un conte ? Entendez comme les deux mots, les deux noms vont bien ensemble : La Sablière et La Fontaine. Avions-nous besoin de preuves pour reconnaître que ce que nous disent les fables, c'est la vérité ?

34

Ce qu'il faut avaler de couleuvres
pour devenir académicien

Le 6 septembre 1683, Colbert mourut de la maladie de la pierre, on dirait aujourd'hui, avec moins d'élégance, lithiase urinaire. Bonne nouvelle pour La Fontaine ! Il paraît qu'il en rit toute la journée. Depuis l'affaire Fouquet, les deux hommes se haïssaient et le grand ministre n'avait cessé d'user de sa puissance pour nuire au grand poète. Mais la bonne humeur de notre ami avait une autre raison. Colbert, en mourant, libérait un fauteuil à l'Académie française… où La Fontaine piaffait d'entrer. Tous ses proches en étaient. Pourquoi pas lui ? Et à soixante-deux ans, il n'avait rien et n'appartenait à rien. Ni à sa famille, qu'il ne voyait plus guère. Ni à la noblesse, dont il venait d'être exclu. Le moment était venu de rejoindre une compagnie. Et la perspective de devoir, s'il était élu, prononcer l'éloge de son prédécesseur abhorré, Colbert, ne manquait pas de sel. Il mena donc campagne, comme jamais dans sa vie. Jamais on n'avait vu cet indolent plus désireux d'une chose, jamais ce fantaisiste plus méthodique dans la manigance.

Hélas, un rival se dressa sur sa route. Et il était de taille : un ami de toujours et, bien pire, un écrivain d'égale renommée, auteur de *L'Art poétique* et de nombreuses satires. Vous avez deviné : c'est Nicolas Boileau. La Fontaine est tant fiévreux de réussir qu'il se rend chez lui et le prie de bien vouloir se retirer. Refus, fraternel, mais ferme. Le vote a lieu, après de violents échanges en séance. Si tout le monde admire les *Fables*, un fort parti puritain abhorre les *Contes*. Les *Fables* l'emportent sur les *Contes*. Treize voix pour La Fontaine (sur vingt-trois), sept pour Boileau.

Rien n'est encore fait. L'obstacle le plus haut reste à franchir : c'est Louis XIV. Le roi est « protecteur » de l'Académie, comme l'était son créateur Richelieu. Et c'est au « protecteur » de décider si l'élu lui agrée. En cas de refus, l'élection compte pour du beurre. Comme le dit la langue juridique, en l'un de ses résumés de génie : « L'entrevue [avec le protecteur] vaut décret [de nomination]. » Une délégation de l'Académie se rend donc à Versailles présenter le résultat du scrutin. Sa Majesté daigne-t-Elle accepter La Fontaine ? Sa Majesté ne grommelle qu'un laconique « je verrai ». Élu, et bien élu, La Fontaine est condamné à faire antichambre. Pour combien de temps ? Personne ne peut le lui dire. Le bon plaisir royal décidera seul.

Bien plus près de nous, l'écrivain Paul Morand présente sa candidature en 1958. Le général de Gaulle, chef de l'État, donc « protecteur », fait savoir qu'il ne « recevra » jamais cet ami des Allemands, collaborateur et vichyssois. Lequel devra attendre dix ans que l'Élysée finisse par lever, à contrecœur, la fatwa.

Élu le 24 octobre 1968, il rejoindra l'Académie. Sans jamais avoir été « reçu ». Seule exception dans l'Histoire.

Revenons au XVIIᵉ siècle et à notre La Fontaine. Il se languit.

Heureusement, la mort, qui est meilleure fille qu'on ne croit, décide d'intervenir. Appréciant sans doute La Fontaine depuis qu'il l'a fait dialoguer avec le bûcheron, elle frappe un immortel dont la notoriété n'est pas parvenue jusqu'à nous, un certain Bezons. Et voilà le travail : un nouveau fauteuil se trouvait libre.

Échaudée par l'épisode précédent, l'Académie demande à Sa Majesté quelle personnalité Elle souhaiterait voir élue. Cette fois, la réponse ne se fait pas attendre : Boileau. Un scrutin est organisé sans tarder. Et, à la surprise générale, prouvant une fois de plus leur indépendance, les académiciens se décident, à une très large majorité, pour… Boileau. Le jour même, Sa Majesté exprime Sa profonde satisfaction. Et dans le même mouvement, Son humeur étant bonne, Elle accepte La Fontaine.

Il n'en a pas fini avec les humiliations.

Dans son discours, il avale quelques couleuvres en encensant son prédécesseur, il célèbre le roi, qui en douterait ?, et prend l'engagement solennel de ne plus retomber dans ses erreurs passées, autrement dit ses abominations de contes érotiques. Il peut se rasseoir tranquillement dans ce fauteuil vingt-quatre, qu'il a eu tant de mal à conquérir.

C'est alors que l'abbé de La Chambre, directeur de l'Académie, se lève pour lui souhaiter la bienvenue.

124

Aigre bienvenue ! Après les louanges attendues, « génie aisé, facile, plein de délicatesse et de naïveté [...] sous un air négligé, renferme de grands trésors et de grandes beautés... », la soutane se met à gronder : « Ne comptez [...] pour rien, Monsieur, tout ce que vous avez fait par le passé. [...] Songez jour et nuit que vous allez dorénavant travailler sous les yeux d'un prince, qui s'informera des progrès que vous ferez dans le chemin de la vertu [...]. »

Ce qu'il faut accepter d'entendre pour devenir immortel ! Le plus étonnant, c'est que l'ex-ami de tous les plaisirs se conformera, non sans quelques rechutes, à ce programme de repentance et de sainteté.

Cette histoire m'a convaincu de la nécessité d'écrire enfin, à l'usage des générations futures, une *Gastronomie des couleuvres*, ces repas qu'il faut avaler quand on veut de l'honneur ou des pouvoirs.

J'y travaille.

En attendant, pour nous remettre de ces aigreurs académiques, offrons-nous un autre petit conte.

35

Gentille de corsage

Nonnes souffrez pour la dernière fois
Qu'en ce recueil malgré moi je vous place.
De vos bons tours les contes ne sont froids.
Leur aventure a ne sais quelle grâce
Qui n'est ailleurs : ils emportent les voix. [...]
Ce conte-ci [...] n'est le moins fripon ; [...]
Passons donc vite à la présente histoire.
Dans un couvent de nonnes fréquentoit
Un jouvenceau friand comme on peut croire
De ces oiseaux. [...]
Sœur Isabeau seule pour son usage
Eut le galant : elle le méritoit
Douce d'humeur, gentille de corsage,
Et n'en étant qu'à son apprentissage,
Belle de plus. Ainsi l'on l'envioit
Pour deux raisons ; son amant, et ses charmes.
Dans ses amours chacune l'épioit :
Nul bien sans mal, nul plaisir sans alarmes.
Tant et si bien l'épièrent les sœurs,
Qu'une nuit sombre, et propre à ces douceurs
Dont on confie aux ombres le mystère,
En sa cellule on ouït certains mots,

Certaine voix, enfin certains propos
Qui n'étoient pas sans doute en son bréviaire.
C'est le galant, ce dit-on, il est pris.
Et de courir ; l'alarme est aux esprits ;
L'essaim frémit, sentinelle se pose.
On va conter en triomphe la chose
À mère abbesse ; et heurtant à grands coups
On lui cria : Madame levez-vous ;
Sœur Isabelle a dans sa chambre un homme.
Vous noterez que Madame n'étoit
En oraison, ni ne prenoit son somme :
Trop bien alors dans son lit elle avoit
Messire Jean curé du voisinage. [...]

Pour apprendre la suite, lisez l'entièreté du conte
qui s'appelle *Le Psautier*.

36

Racine

La Fontaine et Racine étaient cousins éloignés par leurs mères. Ils vécurent plutôt comme deux frères, se voyant à Paris autant qu'ils le pouvaient, s'écrivant dès qu'une circonstance les séparait, se soutenant dans l'adversité, et même, preuve d'une affection plus grande encore, se réjouissant chacun des succès de l'autre.

Pourtant, certaines forces mauvaises auraient pu les éloigner l'un de l'autre, à commencer par la jalousie. On sait que cette maladie de l'envie prospère chez les artistes. J'ai connu le plus grand acteur de son temps, fêté partout, légende vivante. Il ne pouvait s'empêcher d'appeler, déguisant sa voix, les théâtres où jouaient ses confrères bien-aimés. Et aucune nouvelle ne le réjouissait plus d'apprendre qu'hélas, ce soir-là, la salle était à demi pleine et, par suite, la recette, mauvaise.

Un auteur de fables, comme d'ailleurs de romans, ne voit pas son public, ni ne l'entend applaudir. Et il n'a pas ce bonheur, sans cesse renouvelé, de partager l'intimité ou du moins la proximité des actrices qui l'interprètent. La Fontaine rêvait forcément de la gloire de Corneille, Molière ou Racine, autrement plus tangible que la sienne. Dès son plus jeune âge, il s'essaya donc au drame comme à la comédie : *L'Eunuque*, *Les Rieurs du Beau-Richard*, *Achille*. Sans succès aucun… Pas plus que pour ses trois livrets d'opéra : *Astrée* (refusé par Lully), *Daphné* (jamais mis en musique), *Galatée* (inachevé)… À ce qu'on sait, aucune aigreur ne lui remonta jamais de l'estomac chaque fois qu'il assista à un nouveau triomphe de son jeune cousin.

Et quand enfin, la soixantaine dépassée, il écrivit une pièce dont ses proches lui affirmèrent que, cette fois, elle était bonne, son confesseur lui ordonna de la détruire. Ce que docilement, pieusement, il fit.

Le seul péril ayant menacé l'entente entre les deux cousins avait nom la Champmeslé, plus grande actrice de ce temps, créatrice des rôles de Racine, dont elle était la maîtresse follement aimée. Cette dame raffolait des *Contes*. Une affection qui s'étendit à leur auteur. La Fontaine a résumé dans un conte, « Belphégor », la douceur et la douleur des amitiés dites amoureuses, et les regrets qu'elles vous laissent.

Vous auriez eu mon âme toute entière
Si de mes vœux j'eusse plus présumé, […]
Par des transports n'espérant pas vous plaire,
Je me suis dit seulement votre ami ;
De ceux qui sont amants plus d'à demi :
Et plût au sort que j'eusse pu mieux faire.

Il semblerait bien que la Champmeslé ait goûté ces vers plus encore que les autres. Et comme elle avait sa manière de remercier... Mais Racine, trop longtemps torturé par les infidélités perpétuelles de son actrice, avait décidé d'aller trouver ailleurs le repos, dans le mariage. Rien ne dit qu'il ait souffert de ce... rapprochement. Peut-être ne l'a-t-il jamais appris ? Les sentiments n'ayant, comme on sait, pas de secrets pour lui, il faut penser plutôt qu'il l'a deviné.

La Fontaine et Racine.

On ne pouvait concevoir deux êtres plus dissemblables. Et l'écart de leurs âges, dix-huit années, n'était pas ce qui frappait le plus. Autant le plus vieux des deux, La Fontaine, se moquait de son apparence, toujours vêtu à la diable, avec ce qu'il avait pu trouver le matin sous la main, autant Jean Racine s'apprêtait avec soin, recherchait l'élégance, se plaisait au raffinement. Autant on aurait dit que La Fontaine prenait un plaisir obstiné à se montrer malhabile dans le grand jeu social, s'affrontant aux puissants puis les flattant à contretemps, s'acoquinant avec des gens de charme, mais inutiles, se battant pour des charges qui lui dévoraient le temps mais ne lui rapportaient rien, s'empêtrant dans d'humiliantes chicanes pour des queues de cerise, autant son jeune cousin menait sa barque sans avoir l'air d'y toucher, parvenant à ses fins, les plus hautes, mine de rien, menant toutes ses vies, l'artistique, l'amoureuse, la familiale, la proche de Port-Royal, comme un cocher un attelage dont il a su rendre les chevaux, pourtant des fougueux, dociles.

Comparons.

Le vieux cousin n'a rien pu trouver de mieux, dans sa quasi-misère, que « gentilhomme de la duchesse douairière ». Il s'agit d'une sinistre Marguerite de Lorraine, veuve du frère de Louis XIII. En son palais du Luxembourg, il doit se tenir à sa disposition pour lui rendre tous les services qu'elle pourra lui demander : messages à porter, courses en ville, chiens à promener...

Tandis que l'autre et plus jeune cousin va devenir, en récompense de ses triomphes au théâtre et comble d'une habileté sans pareille dans l'art de la courtisanerie... historiographe de Louis XIV, le Soleil en personne. Avec Boileau, il sera chargé de « conserver la splendeur des entreprises du roi et le détail de ses miracles ». Un travail des mieux payés ! Son opulence, déjà bien assurée, atteint des sommets.

Qu'importe aux deux cousins.

Ils savent que ces différences ne sont rien.

Ils savent qu'une autre réalité les rassemble, qui vaut tous les honneurs, et pour toujours : c'est la langue française. Elle est leur royaume, le lieu d'une souveraineté et d'une liberté que personne, jamais, ne pourra leur contester. Cette langue française est déjà vieille de près de dix siècles quand ils la font chanter, comme personne avant eux, tout exprimer en le moins de mots qu'il est possible.

Ils savent, car ils commencent à l'entendre, qu'on ne cessera, dans les siècles à venir, de leur crier : merci !

37

Honte à l'abbé Pouget

La Fontaine avait toujours joui de la plus inso-
lente des santés. Il boit, beaucoup. Plus que manger,
il bâfre. Sans cesse, il va, il vient. Longtemps sur son
cheval il a parcouru ses forêts. Quant à sa vie intime,
il enchaîne. Sans défaillance, d'après ce qu'on dit de
lui.

Soudain, à soixante et onze ans, une fatigue
le prend, une faiblesse inexplicable. Il s'alite en
décembre, ne se relève qu'au printemps. Changé. La
gaieté, la liberté, la légèreté, toutes les lumières qui
avaient éclairé sa vie se sont éteintes. Comme si une
grande ombre les avait avalées. C'est que La Fontaine a senti s'approcher la mort. Une terreur l'en-
vahit, qui ne le quittera plus. Jour et nuit, surtout la
nuit, le jugement de Dieu se met à l'obséder, avec sa
conclusion probable : l'enfer. Comment pourrait-on
lui pardonner ses péchés ?

La Fontaine connaît la religion, ayant toute son
enfance été bercé par elle. Souvenez-vous : à vingt
ans il s'était fait admettre au couvent de l'Oratoire
pour y devenir prêtre. Chrétien il avait été, chrétien

il lui fallait au plus vite redevenir, s'il était encore temps. Cette famille seule pourrait peut-être le sauver. Il se tourne vers sa paroisse, Saint-Roch. Proche du Louvre, c'était la principale de Paris. Et son curé, une puissance. Donc un peureux, soucieux de ne pas déplaire. Et l'auteur des *Contes* sentait le soufre. Pour ne pas risquer d'ennuis, même si le salut d'une âme, et quelle âme !, était en jeu, mieux valait envoyer un vicaire, un subalterne, un débutant. L'histoire retint qu'il s'appelait Pouget. Il n'avait que vingt-six ans. C'est ce jeune abbé qui va torturer La Fontaine jusqu'à sa fin.

Les premières visites se passent à discuter, des heures et des heures durant. Et bien sûr seulement de théologie. Comment notre La Fontaine, celui que nous connaissons, peut-il s'y intéresser ? L'angoisse face au trépas a des raisons que la raison ignore. C'est l'occasion de se plonger, ou replonger, dans l'Évangile. Notre malade y trouve beaucoup de plaisir : «Un bon livre, je vous assure, répète-t-il à ses visiteurs, un très bon livre. » Mais une question le taraude : l'enfer. Comment Dieu, si bon, peut-Il avoir inventé un lieu de supplices d'où l'on ne peut revenir ? Comment justifier l'éternité des peines ? Le vicaire argumente. Et peu à peu, profitant de la faiblesse physique et morale de son ouaille, il l'oblige à des pénitences de plus en plus cruelles.

S'il voulait récupérer une chance, une petite chance de salut, La Fontaine devait, par ordre de sacrifice croissant :

1. avant tout, et bien entendu, interdire toute réimpression de ces œuvres honteuses : les *Contes* ;

2. jeter au feu la pièce qu'il venait d'écrire et dont tous ses amis, parmi lesquels des connaisseurs tels que Racine, lui disaient qu'elle avait atteint le niveau de ses fables ;

3. s'engager à ne plus rien écrire d'autre que des œuvres pies ;

4. écrire une confession générale dans laquelle il reviendrait sur tous les péchés de sa vie et demanderait pour chacun pardon ;

5. lire, écoutez bien, lire cette confession à… l'Académie française.

La Fontaine rechigna, négocia. Et puis céda. Sur toutes les conditions de ce terrible contrat, même celles qui lui tordaient le cœur. On sait qu'il n'avait aucun goût pour la chicane. Il préférait donner raison. Et comme la maladie ne le lâchait pas, la peur, qui va avec, lui rongeait le caractère. Avouons qu'il l'avait toujours eu faible. Sauf pour soutenir Fouquet, parce qu'il était son ami.

38

Une confession

La scène que je vais maintenant vous raconter, je la tiens de Jean Orieux qui l'a puisée lui-même aux meilleures sources : le récit qu'en fait, tranquillement, l'horrible abbé Pouget, tout fier d'avoir ramené une âme à Dieu.

Vous n'allez pas y croire. Et pourtant, pincez-vous, elle est vraie. Plusieurs autres témoins en attestent la réalité.

Dans la religion catholique, royaume enchanté de mon enfance, la confession est un rituel du secret. Vous chuchotez vos fautes à quelqu'un dont vous devinez à peine le visage de l'autre côté d'une grille. À son étole, juste distinguée, à son haleine douceâtre et quelque peu aillée, vous devinez qu'il doit s'agir d'un prêtre. Une pénombre vous enveloppe, vous protège et, déjà, vous pardonne.

Rien de tel ce jour-là, 12 février de l'an 1693.

Bienvenue au spectacle !

On a sorti le malade de son lit pour l'installer au milieu de sa chambre, devant une table recouverte d'une nappe blanche. Entre deux bougies, Pouget a déposé le saint sacrement. La Fontaine lui-même est tout de blanc vêtu.

Une foule se presse, assise tant bien que mal sur des chaises. Au premier rang, les académiciens. La pièce bruit de conversations mondaines. Soudain le silence se fait. Car La Fontaine, titubant, s'est levé. Les deux mains appuyées sur la table, il lit un feuillet :

J'ai prié Messieurs de l'Académie française, dont j'ai l'honneur d'être un des membres, de se trouver ici par députés, pour être témoins de l'action que je vais faire. Il est d'une notoriété qui n'est que trop publique que j'ai eu le malheur de composer un livre de contes infâmes. En le composant, je n'ai pas cru que ce fût un ouvrage aussi pernicieux qu'il l'est, on m'a sur cela ouvert les yeux, et je conviens que c'est un livre abominable. Je suis très fâché de l'avoir écrit et publié. J'en demande pardon à Dieu, à l'Église, à vous Monsieur [il s'adresse à Pouget] qui êtes son ministre, à vous, Messieurs de l'Académie, et à tous ceux qui sont ici présents. Je voudrais que cet ouvrage ne fût jamais sorti de ma plume et qu'il fût en mon pouvoir de le supprimer entièrement. [...] Je renonce actuellement et pour toujours au profit qui devait me revenir d'une nouvelle édition par moi retouchée, que j'ai malheureusement consenti que l'on fît actuellement en Hollande. Si Dieu me rend la santé, [...] je suis résolu à passer le reste de mes jours dans les exercices de la pénitence [...].

Tout le monde pleurait.
On s'agenouilla. On se mit à prier.

Lorsque Pouget donna au pénitent la communion et, pour faire bonne mesure, lui administra l'extrême-onction, les larmes redoublèrent.

Le lendemain, Pouget était devenu célèbre et Paris, à la grande jalousie du curé de Saint-Roch, ne bruissait que de son succès.

Quant à La Fontaine, un mieux très net fut constaté. Après des mois d'enfermement, il put sortir et peu à peu agrandit ses promenades.

En dépit de ce miracle, d'ailleurs temporaire, comme la suite, hélas, le prouvera, cette confession ne peut que faire penser aux « aveux » publics arrachés par les régimes totalitaires à de faux coupables, dont la statistique montre qu'ils étaient souvent juifs.

39

Dénuement

L'argent aime qu'on l'aime. Dédaigné, l'argent se venge. De la plus simple et la plus radicale des manières : il s'en va. Fils de bourgeois aisés, titulaire d'une charge des Eaux et Forêts qui lui permettait de plutôt bien vivre, La Fontaine avait tout laissé filer. Il n'avait plus rien. Rien que la gloire littéraire, laquelle, à l'époque, ne rapportait pas un sou.

Merci, merci à Beaumarchais, et pas seulement pour *Le Mariage de Figaro*. Merci à lui d'avoir inventé, vers 1770, ce qu'on appelle les « droits d'auteur » ! Trop tard pour notre poète ! La Fontaine n'avait pour tout revenu que les maigres jetons versés par l'Académie. Je vous confirme qu'ils ne vous rendent pas Crésus. Aujourd'hui : cent cinquante euros par mois, jadis moins encore. Et son seul logement était celui où l'hébergeait Mme de La Sablière. Or celle-ci venait de disparaître… L'un des inconvénients de la mort, c'est qu'elle empêche vos amis de continuer à payer votre loyer.

La Fontaine se retrouvait donc à la rue. Où la légende veut qu'un bon ange le croisa :

— Je vous cherchais, dit M. Herwarth, pour vous prier de bien vouloir venir vous installer chez moi.

— Eh bien justement, monsieur, je m'y rendais.

Allez savoir si les mots et la scène sont tout à fait exacts... Mais ce sont ceux que rapporte la légende. Une légende qui, pour l'essentiel, raconte la vérité. Cet ange, Anne Herwarth, était protestant, fils de banquier et banquier comme son père. C'est grâce à lui, à lui seul que la honte de la France fut évitée, la honte d'avoir laissé mourir sans soutien le plus grand poète de notre langue. Tout le monde connaissait le dénuement de La Fontaine. Mais rien ne vint du Roi-Soleil, pas un louis. Rien de la Cour. Rien de personne. Maintenon, l'ex-veuve Scarron, la favorite devenue reine, faisait régner cette terreur qui tout dessèche et qu'on appelle pudibonderie. L'auteur des *Fables* avait beau, déjà, enchanter tous les écoliers, toutes les écolières de France, leurs hypocrites de parents ne lui pardonnaient toujours pas les contes érotiques.

40

Les lunettes

Je vous connais. Sans oser le dire, vous réclamez encore un conte. Et je vous comprends. Décidément, la fin de cette vie est trop triste. Égayons-nous un peu. Sous le dévot, retrouvons le joyeux libertin. Mais quel conte voulez-vous, parmi les soixante-dix écrits ? Pressé comme vous l'êtes toujours, accablé de tâches que vous-même, et vous seul, qualifiez d'« urgentes », vous me répétez n'avoir pas le temps de choisir. Vous m'en laissez la responsabilité.

Alors voici « Les Lunettes ». Que, pour vous plaire, je vais même, non sans honte, avoir l'impudence de réduire à son essentiel.

Jadis s'était introduit un blondin
Chez des nonnains à titre de fillette.

Je traduis : un jeune garçon s'était glissé dans une abbaye de femmes, en se faisant passer pour une novice. Je reprends. Plutôt je recommence à citer :

> […] le galant passa pour sœur Colette
> Auparavant que la barbe lui crût.
> Cet entre-temps ne fut sans fruit ; le sire
> L'employa bien : Agnès en profita.
> Las, quel profit ! J'eusse mieux fait de dire
> Qu'à sœur Agnès malheur en arriva.
> Il lui fallut élargir sa ceinture ;
> Puis mettre au jour petite créature […].

Scandale dans l'abbaye ! Fureur de la mère supérieure !

> Bientôt on mit l'accouchée en prison.
> Puis il fallut faire enquête du père.
> Comment est-il entré, comment sorti ? […]
> Serait-ce point quelque garçon en fille ?
> Dit la prieure, et parmi nos brebis
> N'aurions-nous point sous de trompeurs habits
> Un jeune loup ?

Une idée vient à la prieure : que tout le monde à l'instant se mette nu, je veux vérifier.

Le couvent obtempéra. Y compris le galant. Qui pour ne pas se trahir déguisa sa nature.

Et La Fontaine de préciser comment, à sa manière allusive :

> Il est facile à présent qu'on devine
> Ce que lia notre jeune imprudent ;
> C'est ce surplus, ce reste de machine,
> Bout de lacet aux hommes excédant.
> D'un brin de fil il l'attacha de sorte
> Que tout semblait aussi plat qu'aux nonnains.

La prieure commence son inspection. Pour ne pas juger du cas légèrement, elle a chaussé des lunettes.

Tout à l'entour sont debout vingt nonnettes,
En un habit que vraisemblablement
N'avaient pas fait les tailleurs du couvent.

Ce spectacle de secrets appas, de touffes de lis et de fermes tétons ne laisse pas insensible notre galant. La machine, vous vous souvenez ?, celle qu'il avait si bien dissimulée…

Elle échappa, rompit le fil d'un coup,
Comme un coursier qui rompait son licou,
Et sauta droit au nez de la prieure,
Faisant voler ses lunettes tout à l'heure
Jusqu'au plancher.

À Château-Thierry, dans la maison de La Fontaine, je vous recommande le tableau qui peint la scène et le vol des binocles. Apprenez qu'il a été acquis grâce aux fonds généreusement versés par… le principal opticien de la ville, M. Francis Carré. Merci à lui.

41

Pénitence

Passent les semaines.

Un jour, La Fontaine se sent mieux. C'est le plus souvent que ses plus chers amis viennent le réconforter : Maucroix, Racine. Fils absent et prodigue, déplorable mari, père indifférent, La Fontaine fut d'abord un ami. L'amitié, sa fidélité en amitié, aura été son bon génie, le sel et le cœur de sa vie.

Le lendemain, la faiblesse de nouveau le fait défaillir.

Il tient ses promesses. Il n'use le reste de ses forces qu'à écrire des textes pieux. L'une de ses dernières œuvres, peut-être la dernière, est une traduction. Sur l'ordre de toujours le même abbé Pouget, il s'acharne à trouver des mots français pour le poème de terreur venu du plus profond du Moyen Âge, le *Dies irae*. *Dies irae*, jour de colère, la colère de Dieu quand vient l'heure du Jugement dernier. Ce *Dies irae* chanté depuis des siècles dans les messes de requiem.

Même si l'exercice est imposé, la phrase demeure, précise et souple, variée, simple, si simple. Et rien ne bouleverse plus que cette simplicité-là :

Je te laisse le soin de mon heure dernière ;
Ne m'abandonne pas quand j'irai chez les morts.

La Fontaine tremble. Les prières, les contritions, les consolations n'y font rien. La Fontaine frémit de comparaître devant Dieu, le juge suprême.

Son seul délassement, c'est l'Académie.

Pour ses membres, cette compagnie est une seconde famille. Je confirme. Depuis deux décennies que j'en suis, j'ai vu des quasi-mourants s'y traîner chaque jeudi. Ils y trouvaient, à ce qu'il m'a bien semblé, un apaisement véritable, une attention, une chaleur fraternelle. Il faut dire qu'on entre chez nous la vie déjà vécue. Les ego se sont calmés. « Voici deux mois que je ne sors pas, dit La Fontaine, sinon pour aller à l'Académie, afin que cela m'amuse. »

Il est vrai que certains débats, souvent violents – parfois on en viendrait presque aux mains –, ne peuvent que le divertir. La quasi-guerre civile, par exemple, opposant farouchement les partisans des Anciens et les militants des Modernes. Quelle époque fut siècle d'or : celle de Cicéron, celle d'Horace ? Ou celle d'aujourd'hui, illuminée par notre Roi-Soleil ? Cette fausse question forcément l'enchante et lui fait naître quelques ultimes sourires.

Il meurt le 13 avril 1695, juste après Pâques.

Dans une lettre, Boileau rapporte à Maucroix le dernier souhait de La Fontaine : vivre quelques jours encore pour avoir le temps de « se faire traîner dans un tombereau par les rues de Paris, afin que personne n'ignorât combien il détestait les poésies licencieuses qu'il avait eu le malheur de composer ».

Le plus vertigineux est à venir. Quand on le dévêtit pour le préparer au tombeau, on trouva le corps de La Fontaine lacéré : il portait un cilice, cette chemise de fer qui entaille la chair pour la punir de ses abandons passés.

42

Merci

Après la mort, la vie continue.

On dirait même qu'elle se déploie.

La Vie, la Mort…

La Fontaine, maître en métamorphoses, n'était pas du genre à se laisser brider par cette frontière trop banale. On aurait dit que les contradictions avaient été inventées pour être vécues par lui. Il ne s'en était pas privé.

Toujours l'exemple de l'eau, la rivière Marne de son enfance. Glace, puis courant, puis nuée, puis la pluie. Qui peut assigner une forme à l'eau ?

La Vie, la Mort. Qui peut contraindre La Fontaine ?

Le succès des *Fables*, éclatant dès la première parution, s'était amplifié d'année en année. À chaque génération nouvelle naissaient de nouvelles amitiés attendries pour ce petit peuple du corbeau et du renard, de la cigale et de la fourmi, de Perrette avec son pot au lait, n'oublions pas la mouche et son coche. Et maintenant, c'était au monde entier de prendre le parti de l'agneau face au terrible loup, de ricaner de la grenouille s'enflant, s'enflant jusqu'à devenir bœuf. Cette grenouille, dis donc, tu ne trouves pas qu'elle rappelle notre voisin ministre, notre cousine chanteuse à *The Voice* ? Partout, sur notre planète, des peintres se mirent à illustrer. Partout, des musiciens s'essayèrent à faire chanter les fables. Difficile ! Elles ont déjà leurs chansons.

Qui peut savoir le nombre de dizaines de millions de recueils ouverts depuis trois cent cinquante ans, le nombre d'écoliers auxquels un sourire est alors venu, le nombre d'adultes redevenus enfants dès que retrouvant l'apostrophe du lion au moucheron, va-t'en chétif insecte, excrément de la terre, le nombre d'enfants découvrant un jour, dans un conte interdit, certaines pratiques qui donnent envie de devenir vite adulte ? Ça veut dire quoi, papa, « gentille de corsage » ?

Qui peut savoir ? Faut-il expliquer la magie ?

L'une des clefs se trouve peut-être dans l'inscription rédigée par La Fontaine lui-même pour le couvercle de sa tombe future :

Jean s'en alla comme il était venu,
Mangea le fonds avec le revenu,
Tint les trésors chose peu nécessaire.
Quant à son temps, bien le sut dispenser,
Deux parts en fit, dont il soulait passer
L'une à dormir et l'autre à ne rien faire.

Et l'image qu'il donne volontiers de lui est celle d'un « papillon du Parnasse, et semblable aux abeilles [...]. Je suis chose légère, et vole à tout sujet ; je vais de fleur en fleur et d'objet en objet ».

Libre, ne suivant que sa seule fantaisie, prisonnier d'aucun système.

Rien n'est plus significatif que l'autoportrait d'un artiste. Personne n'ira jamais plus loin que celui qui se charge lui-même. L'excès, ou le faux, est le chemin qui conduit à la vérité. Regardez Rembrandt, quand il se vieillit et s'enlaidit : c'est l'obsession du temps qui parle. Regardez Van Gogh, envahi par le roux terrible de sa barbe : la folie devait avoir pour lui le feu de cette couleur. Si La Fontaine, dont nous savons quel travailleur il fut, se présente en tel grand paresseux, c'est pour exprimer son rêve : que la vie, l'entièreté de la vie nous soit donnée sans avoir à tant y batailler. Qu'elle nous ouvre ses portes, nous saurons nous y blottir. Et cette manière de tant faire dire aux mots, ne serait-ce pas l'autre de ses rêves : imiter l'eau, qui est musique. Ou imiter la musique, qui est rivière. L'œuvre de La Fontaine, comme celle de Virgile, est un chant. La Fontaine est un lyrique. Les lyriques ne sont pas forcément pompeux. Il y a des lyriques amusés.

Depuis soixante ans que je lis et relis La Fontaine, c'est une leçon d'acquiescement que d'abord je retiens. OUI à la Nature, malgré ses sauvageries. OUI aux frères et sœurs humains, malgré leurs ridicules, malgré leur rapacité foncière. OUI à eux, car nous sommes sur le même bateau, et, pour le meilleur ou le pire, du même équipage. Et sourire, sourire comme si souvent chez La Fontaine, car sourire, c'est encore acquiescer.

Ne vous y trompez pas, acquiescer n'est pas céder, et moins encore trahir, surtout quand c'est un ami qu'on attaque. Rien de tel qu'un seul et grand refus, comme celui d'abandonner Fouquet, pour forger sa liberté. Qui seule permet l'acquiescement véritable. Quelle valeur a le OUI du prisonnier ? Et l'on sait comme nombreuses sont les prisons, et subtilement inventives, et obstinées : l'argent, la vanité, la passion du pouvoir, l'envie, la jalousie...

L'amitié est une chaîne, qui se moque des époques. L'admiration est toujours contemporaine.

Pour dire son amour de La Fontaine, Marc Fumaroli se place dans les pas du Piéton de Paris, Léon-Paul Fargue. Qui mieux que personne a compris cette stratégie d'*effacement*.

En se refusant à l'importance, en acceptant de se diminuer pour les sots, La Fontaine est descendu jusqu'au centre invisible des choses...

De même, Montaigne.

En se refusant à l'importance, il est descendu jusqu'au centre invisible de ce très changeant mystère : un être humain.

Et c'est ainsi qu'ils sont frères tous deux, Montaigne et La Fontaine, et frères de toutes celles et tous ceux embarqués dans cette irremplaçable aventure : le métier de vivre.

FABLES CHOISIES

LE LOUP ET L'AGNEAU

La raison du plus fort est toujours la meilleure :
    Nous l'allons montrer tout à l'heure.
    Un Agneau se désaltérait
    Dans le courant d'une onde pure.
Un Loup survient à jeun qui cherchait aventure,
  Et que la faim en ces lieux attirait.
« Qui te rend si hardi de troubler mon breuvage ?
    Dit cet animal plein de rage :
    Tu seras châtié de ta témérité.
— Sire, répond l'Agneau, que votre Majesté
    Ne se mette pas en colère ;
    Mais plutôt qu'elle considère
    Que je me vas désaltérant
        Dans le courant,
    Plus de vingt pas au-dessous d'Elle,
Et que par conséquent, en aucune façon,
    Je ne puis troubler sa boisson.
— Tu la troubles, reprit cette bête cruelle,
Et je sais que de moi tu médis l'an passé.
— Comment l'aurais-je fait si je n'étais pas né ?
  Reprit l'Agneau, je tette encor ma mère.
    — Si ce n'est toi, c'est donc ton frère.
— Je n'en ai point. — C'est donc quelqu'un des tiens :
    Car vous ne m'épargnez guère,
    Vous, vos bergers, et vos chiens.

On me l'a dit : il faut que je me venge. »
Là-dessus, au fond des forêts
Le Loup l'emporte, et puis le mange,
Sans autre forme de procès.

LE CORBEAU ET LE RENARD

Maître Corbeau, sur un arbre perché,
Tenait en son bec un fromage.
Maître Renard, par l'odeur alléché,
Lui tint à peu près ce langage :
«Hé ! Bonjour, Monsieur du Corbeau.
Que vous êtes joli ! que vous me semblez beau !
Sans mentir, si votre ramage
Se rapporte à votre plumage,
Vous êtes le Phénix des hôtes de ces bois. »
À ces mots, le Corbeau ne se sent pas de joie ;
Et pour montrer sa belle voix,
Il ouvre un large bec, laisse tomber sa proie.
Le Renard s'en saisit, et dit : «Mon bon Monsieur,
Apprenez que tout flatteur
Vit aux dépens de celui qui l'écoute.
Cette leçon vaut bien un fromage, sans doute. »
Le Corbeau, honteux et confus,
Jura, mais un peu tard, qu'on ne l'y prendrait plus.

LA CIGALE ET LA FOURMI

La Cigale, ayant chanté
Tout l'Été,
Se trouva fort dépourvue
Quand la bise fut venue.
Pas un seul petit morceau

154

De mouche ou de vermisseau.
Elle alla crier famine
Chez la Fourmi sa voisine,
La priant de lui prêter
Quelque grain pour subsister
Jusqu'à la saison nouvelle.
« Je vous paierai, lui dit-elle,
Avant l'oût, foi d'animal,
Intérêt et principal. »
La Fourmi n'est pas prêteuse ;
C'est là son moindre défaut.
« Que faisiez-vous au temps chaud ?
Dit-elle à cette emprunteuse.
— Nuit et jour à tout venant
Je chantais, ne vous déplaise.
— Vous chantiez ? J'en suis fort aise.
Eh bien dansez maintenant. »

LA GRENOUILLE QUI VEUT
SE FAIRE AUSSI GROSSE QUE LE BŒUF

Une Grenouille vit un Bœuf
Qui lui sembla de belle taille.
Elle, qui n'était pas grosse en tout comme un œuf,
Envieuse, s'étend, et s'enfle, et se travaille
Pour égaler l'animal en grosseur,
Disant : « Regardez bien, ma sœur ;
Est-ce assez ? dites-moi ; n'y suis-je point encore ?
— Nenni. — M'y voici donc ? — Point du tout. — M'y
                                                        [voilà ?
— Vous n'en approchez point. » La chétive pécore
S'enfla si bien qu'elle creva.
Le monde est plein de gens qui ne sont pas plus sages :

Tout bourgeois veut bâtir comme les grands sei-
                                                    [gneurs,
    Tout petit prince a des ambassadeurs,
        Tout marquis veut avoir des pages.

LE CHÊNE ET LE ROSEAU

    Le Chêne un jour dit au Roseau :
« Vous avez bien sujet d'accuser la Nature ;
Un roitelet pour vous est un pesant fardeau.
        Le moindre vent, qui d'aventure
        Fait rider la face de l'eau
        Vous oblige à baisser la tête :
Cependant que mon front, au Caucase pareil,
Non content d'arrêter les rayons du soleil,
        Brave l'effort de la tempête.
Tout vous est aquilon, tout me semble zéphyr.
Encor si vous naissiez à l'abri du feuillage
        Dont je couvre le voisinage,
        Vous n'auriez pas tant à souffrir :
        Je vous défendrais de l'orage ;
        Mais vous naissez le plus souvent
Sur les humides bords des royaumes du vent.
La nature envers vous me semble bien injuste.
— Votre compassion, lui répondit l'arbuste,
Part d'un bon naturel ; mais quittez ce souci.
    Les vents me sont moins qu'à vous redoutables.
Je plie, et ne romps pas. Vous avez jusqu'ici
        Contre leurs coups épouvantables
        Résisté sans courber le dos ;
Mais attendons la fin. » Comme il disait ces mots
Du bout de l'horizon accourt avec furie
        Le plus terrible des enfants

Que le Nord eût porté jusques-là dans ses flancs.
　　L'Arbre tient bon ; le Roseau plie.
　　Le vent redouble ses efforts,
　　Et fait si bien qu'il déracine
Celui de qui la tête au ciel était voisine,
Et dont les pieds touchaient à l'empire des morts.

LA LAITIÈRE ET LE POT AU LAIT

Perrette sur sa tête ayant un Pot au lait
　　Bien posé sur un coussinet,
Prétendait arriver sans encombre à la ville.
Légère et court vêtue elle allait à grands pas ;
Ayant mis ce jour-là, pour être plus agile,
　　Cotillon simple, et souliers plats.
　　Notre laitière ainsi troussée
　　Comptait déjà dans sa pensée
Tout le prix de son lait, en employait l'argent,
Achetait un cent d'œufs, faisait triple couvée ;
La chose allait à bien par son soin diligent.
　　« Il m'est, disait-elle, facile,
D'élever des poulets autour de ma maison :
　　Le renard sera bien habile,
S'il ne m'en laisse assez pour avoir un cochon.
Le porc à s'engraisser coûtera peu de son ;
Il était quand je l'eus de grosseur raisonnable :
J'aurai le revendant de l'argent bel et bon.
Et qui m'empêchera de mettre en notre étable,
Vu le prix dont il est, une vache et son veau,
Que je verrai sauter au milieu du troupeau ? »
Perrette là-dessus saute aussi, transportée.
Le lait tombe ; adieu veau, vache, cochon, couvée ;
La dame de ces biens, quittant d'un œil marri

Sa fortune ainsi répandue,
Va s'excuser à son mari
En grand danger d'être battue.
Le récit en farce en fut fait ;
On l'appela *le Pot au lait*.

Quel esprit ne bat la campagne ?
Qui ne fait châteaux en Espagne ?
Picrochole, Pyrrhus, la Laitière, enfin tous,
Autant les sages que les fous ?
Chacun songe en veillant, il n'est rien de plus doux ;
Une flatteuse erreur emporte alors nos âmes :
Tout le bien du monde est à nous,
Tous les honneurs, toutes les femmes.
Quand je suis seul, je fais au plus brave un défi ;
Je m'écarte, je vais détrôner le Sophi ;
On m'élit roi, mon peuple m'aime ;
Les diadèmes vont sur ma tête pleuvant :
Quelque accident fait-il que je rentre en moi-même ;
Je suis Gros-Jean comme devant.

LE COCHE ET LA MOUCHE

Dans un chemin montant, sablonneux, malaisé,
Et de tous les côtés au soleil exposé,
Six forts chevaux tiraient un Coche.
Femmes, moine, vieillards, tout était descendu.
L'attelage suait, soufflait, était rendu.
Une Mouche survient, et des chevaux s'approche,
Prétend les animer par son bourdonnement ;
Pique l'un, pique l'autre, et pense à tout moment
Qu'elle fait aller la machine,
S'assied sur le timon, sur le nez du cocher.

Aussitôt que le char chemine,
       Et qu'elle voit les gens marcher,
Elle s'en attribue uniquement la gloire,
Va, vient, fait l'empressée ; il semble que ce soit
Un Sergent de bataille allant en chaque endroit
Faire avancer ses gens, et hâter la victoire.
       La Mouche en ce commun besoin
Se plaint qu'elle agit seule, et qu'elle a tout le soin ;
Qu'aucun n'aide aux chevaux à se tirer d'affaire.
       Le moine disait son bréviaire ;
Il prenait bien son temps ! une femme chantait ;
C'était bien de chansons qu'alors il s'agissait !
Dame Mouche s'en va chanter à leurs oreilles,
       Et fait cent sottises pareilles.
Après bien du travail le Coche arrive au haut.
« Respirons maintenant, dit la Mouche aussitôt :
J'ai tant fait que nos gens sont enfin dans la plaine.
Çà, Messieurs les Chevaux, payez-moi de ma peine. »

Ainsi certaines gens, faisant les empressés,
       S'introduisent dans les affaires :
       Ils font partout les nécessaires,
Et, partout importuns, devraient être chassés.

LE LIÈVRE ET LA TORTUE

Rien ne sert de courir ; il faut partir à point.
Le Lièvre et la Tortue en sont un témoignage.
« Gageons, dit celle-ci, que vous n'atteindrez point
Sitôt que moi ce but. — Sitôt ? Êtes-vous sage ?
       Repartit l'animal léger.
       Ma commère, il vous faut purger
       Avec quatre grains d'ellébore.

    — Sage ou non, je parie encore. »
    Ainsi fut fait : et de tous deux
    On mit près du but les enjeux :
    Savoir quoi, ce n'est pas l'affaire,
    Ni de quel juge l'on convint.
Notre Lièvre n'avait que quatre pas à faire ;
J'entends de ceux qu'il fait lorsque près d'être atteint
Il s'éloigne des chiens, les renvoie aux calendes,
    Et leur fait arpenter les landes.
Ayant, dis-je, du temps de reste pour brouter,
    Pour dormir, et pour écouter
D'où vient le vent, il laisse la Tortue
    Aller son train de sénateur.
    Elle part, elle s'évertue ;
    Elle se hâte avec lenteur.
Lui cependant méprise une telle victoire,
    Tient la gageure à peu de gloire,
    Croit qu'il y va de son honneur
  De partir tard. Il broute, il se repose,
    Il s'amuse à tout autre chose
  Qu'à la gageure. À la fin quand il vit
Que l'autre touchait presque au bout de la carrière,
Il partit comme un trait ; mais les élans qu'il fit
Furent vains : la Tortue arriva la première.
« Eh bien ! lui cria-t-elle, avais-je pas raison ?
    De quoi vous sert votre vitesse ?
    Moi, l'emporter ! et que serait-ce
    Si vous portiez une maison ? »

LE LION ET LE RAT

Il faut, autant qu'on peut, obliger tout le monde :
On a souvent besoin d'un plus petit que soi.

De cette vérité deux fables feront foi,
        Tant la chose en preuves abonde.

        Entre les pattes d'un Lion
Un Rat sortit de terre assez à l'étourdie.
Le roi des animaux, en cette occasion,
Montra ce qu'il était, et lui donna la vie.
        Ce bienfait ne fut pas perdu.
        Quelqu'un aurait-il jamais cru
        Qu'un Lion d'un Rat eût affaire ?
Cependant il advint qu'au sortir des forêts
        Ce Lion fut pris dans des rets,
Dont ses rugissements ne le purent défaire.
Sire Rat accourut, et fit tant par ses dents
Qu'une maille rongée emporta tout l'ouvrage.
        Patience et longueur de temps
        Font plus que force ni que rage.

LE LABOUREUR ET SES ENFANTS

        Travaillez, prenez de la peine :
        C'est le fonds qui manque le moins.
Un riche Laboureur, sentant sa mort prochaine,
Fit venir ses Enfants, leur parla sans témoins.
« Gardez-vous, leur dit-il, de vendre l'héritage
        Que nous ont laissé nos parents.
        Un trésor est caché dedans.
Je ne sais pas l'endroit ; mais un peu de courage
Vous le fera trouver, vous en viendrez à bout.
Remuez votre champ dès qu'on aura fait l'oût.
Creusez, fouillez, bêchez ; ne laissez nulle place
        Où la main ne passe et repasse. »
Le père mort, les fils vous retournent le champ

Deçà, delà, partout ; si bien qu'au bout de l'an
    Il en rapporta davantage.
D'argent, point de caché. Mais le père fut sage
    De leur montrer avant sa mort
    Que le travail est un trésor.

LE LION AMOUREUX

À Mademoiselle de Sévigné

Sévigné, de qui les attraits
Servent aux Grâces de modèle,
Et qui naquîtes toute belle,
À votre indifférence près,
Pourriez-vous être favorable
Aux jeux innocents d'une fable,
Et voir sans vous épouvanter
Un Lion qu'Amour sut dompter ?
Amour est un étrange maître.
Heureux qui peut ne le connaître
Que par récit, lui ni ses coups !
Quand on en parle devant vous,
Si la vérité vous offense,
La fable au moins se peut souffrir :
Celle-ci prend bien l'assurance
De venir à vos pieds s'offrir,
Par zèle et par reconnaissance.

Du temps que les bêtes parlaient,
Les lions entre autres voulaient
Être admis dans notre alliance.
Pourquoi non ? puisque leur engeance
Valait la nôtre en ce temps-là,

Ayant courage, intelligence,
Et belle hure outre cela.
Voici comment il en alla.
Un Lion de haut parentage,
En passant par un certain pré,
Rencontra bergère à son gré :
Il la demande en mariage.
Le père aurait fort souhaité
Quelque gendre un peu moins terrible.
La donner lui semblait bien dur ;
La refuser n'était pas sûr ;
Même un refus eût fait possible
Qu'on eût vu quelque beau matin
Un mariage clandestin.
Car outre qu'en toute manière
La belle était pour les gens fiers,
Fille se coiffe volontiers
D'amoureux à longue crinière.
Le père donc ouvertement
N'osant renvoyer notre amant,
Lui dit : «Ma fille est délicate ;
Vos griffes la pourront blesser
Quand vous voudrez la caresser.
Permettez donc qu'à chaque patte
On vous les rogne, et pour les dents,
Qu'on vous les lime en même temps.
Vos baisers en seront moins rudes,
Et pour vous plus délicieux ;
Car ma fille y répondra mieux,
Étant sans ces inquiétudes. »
Le Lion consent à cela,
Tant son âme était aveuglée !
Sans dents ni griffes le voilà,
Comme place démantelée.

On lâche sur lui quelques chiens :
Il fit fort peu de résistance.
Amour, Amour, quand tu nous tiens
On peut bien dire : Adieu prudence.

LE RAT DE VILLE
ET LE RAT DES CHAMPS

Autrefois le Rat de ville
Invita le Rat des champs,
D'une façon fort civile,
À des reliefs d'ortolans.

Sur un tapis de Turquie
Le couvert se trouva mis.
Je laisse à penser la vie
Que firent ces deux amis.

Le régal fut fort honnête,
Rien ne manquait au festin ;
Mais quelqu'un troubla la fête
Pendant qu'ils étaient en train.

À la porte de la salle
Ils entendirent du bruit :
Le Rat de ville détale ;
Son camarade le suit.

Le bruit cesse, on se retire :
Rats en campagne aussitôt ;
Et le citadin de dire :
«Achevons tout notre rôt.

— C'est assez, dit le rustique ;
Demain vous viendrez chez moi :
Ce n'est pas que je me pique
De tous vos festins de roi ;

Mais rien ne vient m'interrompre :
Je mange tout à loisir.
Adieu donc ; fi du plaisir
Que la crainte peut corrompre. »

LE POT DE TERRE
ET LE POT DE FER

Le Pot de fer proposa
Au Pot de terre un voyage.
Celui-ci s'en excusa,
Disant qu'il ferait que sage
De garder le coin du feu :
Car il lui fallait si peu,
Si peu, que la moindre chose
De son débris serait cause.
Il n'en reviendrait morceau.
« Pour vous, dit-il, dont la peau
Est plus dure que la mienne,
Je ne vois rien qui vous tienne.
— Nous vous mettrons à couvert,
Repartit le Pot de fer.
Si quelque matière dure
Vous menace d'aventure,
Entre deux je passerai,
Et du coup vous sauverai. »
Cette offre le persuade.
Pot de fer son camarade

Se met droit à ses côtés.
Mes gens s'en vont à trois pieds,
Clopin-clopant comme ils peuvent,
L'un contre l'autre jetés
Au moindre hoquet qu'ils treuvent.
Le Pot de terre en souffre ; il n'eut pas fait cent pas
Que par son compagnon il fut mis en éclats,
Sans qu'il eût lieu de se plaindre.
Ne nous associons qu'avecque nos égaux ;
Ou bien il nous faudra craindre
Le destin d'un de ces Pots.

LE CHAT, LA BELETTE
ET LE PETIT LAPIN

Du palais d'un jeune Lapin
Dame Belette un beau matin
S'empara ; c'est une rusée.
Le maître étant absent, ce lui fut chose aisée.
Elle porta chez lui ses pénates, un jour
Qu'il était allé faire à l'Aurore sa cour,
Parmi le thym et la rosée.
Après qu'il eut brouté, trotté, fait tous ses tours,
Janot Lapin retourne aux souterrains séjours.
La Belette avait mis le nez à la fenêtre.
« Ô Dieux hospitaliers, que vois-je ici paraître ? »
Dit l'animal chassé du paternel logis :
« Holà, Madame la Belette,
Que l'on déloge sans trompette,
Ou je vais avertir tous les rats du pays. »
La dame au nez pointu répondit que la terre
Était au premier occupant.
C'était un beau sujet de guerre

Qu'un logis où lui-même il n'entrait qu'en rampant.
     « Et quand ce serait un Royaume
Je voudrais bien savoir, dit-elle, quelle loi
     En a pour toujours fait l'octroi
À Jean fils ou neveu de Pierre ou de Guillaume,
     Plutôt qu'à Paul, plutôt qu'à moi. »
Jean Lapin allégua la coutume et l'usage.
« Ce sont, dit-il, leurs lois qui m'ont de ce logis
Rendu maître et seigneur, et qui, de père en fils,
L'ont de Pierre à Simon, puis à moi Jean, transmis.
Le premier occupant est-ce une loi plus sage ?
     — Or bien sans crier davantage,
Rapportons-nous, dit-elle, à Raminagrobis. »
C'était un chat vivant comme un dévot ermite,
     Un chat faisant la chattemite,
Un saint homme de chat, bien fourré, gros et gras,
     Arbitre expert sur tous les cas.
     Jean Lapin pour juge l'agrée.
     Les voilà tous deux arrivés
     Devant sa majesté fourrée.
Grippeminaud leur dit : « Mes enfants, approchez,
Approchez, je suis sourd, les ans en sont la cause. »
L'un et l'autre approcha ne craignant nulle chose.
Aussitôt qu'à portée il vit les contestants,
     Grippeminaud le bon apôtre
Jetant des deux côtés la griffe en même temps,
Mit les plaideurs d'accord en croquant l'un et l'autre.

Ceci ressemble fort aux débats qu'ont parfois
Les petits souverains se rapportant aux rois.

LE LION DEVENU VIEUX

Le Lion, terreur des forêts,
Chargé d'ans, et pleurant son antique prouesse,
Fut enfin attaqué par ses propres sujets,
        Devenus forts par sa faiblesse.
Le Cheval s'approchant lui donne un coup de pied,
Le Loup un coup de dent, le Bœuf un coup de corne.
Le malheureux Lion, languissant, triste, et morne,
Peut à peine rugir, par l'âge estropié.
Il attend son destin, sans faire aucunes plaintes,
Quand voyant l'Âne même à son antre accourir :
« Ah ! c'est trop, lui dit-il ; je voulais bien mourir ;
Mais c'est mourir deux fois que souffrir tes atteintes. »

LES ANIMAUX MALADES
DE LA PESTE

        Un mal qui répand la terreur,
        Mal que le Ciel en sa fureur
Inventa pour punir les crimes de la terre,
La peste (puisqu'il faut l'appeler par son nom),
Capable d'enrichir en un jour l'Achéron,
        Faisait aux animaux la guerre.
Ils ne mouraient pas tous, mais tous étaient frappés :
        On n'en voyait point d'occupés
À chercher le soutien d'une mourante vie ;
        Nul mets n'excitait leur envie ;
        Ni loups ni renards n'épiaient
        La douce et l'innocente proie.
        Les tourterelles se fuyaient :
        Plus d'amour, partant plus de joie.
Le Lion tint conseil, et dit : « Mes chers amis,

Je crois que le Ciel a permis
         Pour nos péchés cette infortune ;
         Que le plus coupable de nous
Se sacrifie aux traits du céleste courroux,
Peut-être il obtiendra la guérison commune.
L'histoire nous apprend qu'en de tels accidents
         On fait de pareils dévouements :
Ne nous flattons donc point ; voyons sans indulgence
         L'état de notre conscience.
Pour moi, satisfaisant mes appétits gloutons
         J'ai dévoré force moutons.
         Que m'avaient-ils fait ? Nulle offense :
Même il m'est arrivé quelquefois de manger
              Le berger.
Je me dévouerai donc, s'il le faut ; mais je pense
Qu'il est bon que chacun s'accuse ainsi que moi :
Car on doit souhaiter selon toute justice
         Que le plus coupable périsse.
— Sire, dit le Renard, vous êtes trop bon roi ;
Vos scrupules font voir trop de délicatesse.
Eh bien, manger moutons, canaille, sotte espèce,
Est-ce un péché ? Non, non. Vous leur fîtes, Sei-
                                   [gneur,
         En les croquant beaucoup d'honneur.
         Et quant au berger l'on peut dire
         Qu'il était digne de tous maux,
Étant de ces gens-là qui sur les animaux
         Se font un chimérique empire. »
Ainsi dit le Renard, et flatteurs d'applaudir.
         On n'osa trop approfondir
Du Tigre, ni de l'Ours, ni des autres puissances,
         Les moins pardonnables offenses.
Tous les gens querelleurs, jusqu'aux simples mâtins,
Au dire de chacun, étaient de petits saints.

L'Âne vint à son tour et dit : «J'ai souvenance
      Qu'en un pré de moines passant,
La faim, l'occasion, l'herbe tendre, et je pense
      Quelque diable aussi me poussant,
Je tondis de ce pré la largeur de ma langue.
Je n'en avais nul droit, puisqu'il faut parler net. »
À ces mots on cria haro sur le baudet.
Un Loup quelque peu clerc prouva par sa harangue
Qu'il fallait dévouer ce maudit animal,
Ce pelé, ce galeux, d'où venait tout leur mal.
Sa peccadille fut jugée un cas pendable.
Manger l'herbe d'autrui ! quel crime abominable !
      Rien que la mort n'était capable
D'expier son forfait : on le lui fit bien voir.
Selon que vous serez puissant ou misérable,
Les jugements de cour vous rendront blanc ou noir.

LES OBSÈQUES DE LA LIONNE

      La femme du Lion mourut :
      Aussitôt chacun accourut
      Pour s'acquitter envers le Prince
De certains compliments de consolation,
      Qui sont surcroît d'affliction.
      Il fit avertir sa province
      Que les obsèques se feraient
Un tel jour, en tel lieu ; ses prévôts y seraient
      Pour régler la cérémonie,
      Et pour placer la compagnie.
      Jugez si chacun s'y trouva.
      Le Prince aux cris s'abandonna,
      Et tout son antre en résonna.
      Les Lions n'ont point d'autre temple.

On entendit à son exemple
Rugir en leurs patois Messieurs les Courtisans.
Je définis la cour un pays où les gens
Tristes, gais, prêts à tout, à tout indifférents,
Sont ce qu'il plaît au Prince, ou s'ils ne peuvent l'être,
        Tâchent au moins de le paraître,
Peuple caméléon, peuple singe du maître,
On dirait qu'un esprit anime mille corps ;
C'est bien là que les gens sont de simples ressorts.
        Pour revenir à notre affaire
Le Cerf ne pleura point, comment eût-il pu faire ?
Cette mort le vengeait ; la Reine avait jadis
        Étranglé sa femme et son fils.
Bref il ne pleura point. Un flatteur l'alla dire,
        Et soutint qu'il l'avait vu rire.
La colère du Roi, comme dit Salomon,
Est terrible, et surtout celle du roi Lion ;
Mais ce Cerf n'avait pas accoutumé de lire.
Le Monarque lui dit : « Chétif hôte des bois
Tu ris ! tu ne suis pas ces gémissantes voix !
Nous n'appliquerons point sur tes membres profanes
        Nos sacrés ongles ; venez Loups,
        Vengez la Reine, immolez tous
        Ce traître à ses augustes mânes. »
Le Cerf reprit alors : « Sire, le temps de pleurs
Est passé ; la douleur est ici superflue.
Votre digne moitié, couchée entre des fleurs,
        Tout près d'ici m'est apparue ;
        Et je l'ai d'abord reconnue.
"Ami, m'a-t-elle dit, garde que ce convoi,
Quand je vais chez les Dieux, ne t'oblige à des larmes.
Aux Champs Élysiens j'ai goûté mille charmes,
Conversant avec ceux qui sont saints comme moi.
Laisse agir quelque temps le désespoir du Roi.

J'y prends plaisir." » À peine on eut ouï la chose,
Qu'on se mit à crier : «Miracle, apothéose ! »
Le Cerf eut un présent, bien loin d'être puni.
     Amusez les rois par des songes,
Flattez-les, payez-les d'agréables mensonges,
Quelque indignation dont leur cœur soit rempli,
Ils goberont l'appât, vous serez leur ami.

LE RAT ET L'HUÎTRE

Un Rat hôte d'un champ, rat de peu de cervelle,
Des lares paternels un jour se trouva soû.
Il laisse là le champ, le grain, et la javelle,
Va courir le pays, abandonne son trou.
     Sitôt qu'il fut hors de la case,
« Que le monde, dit-il, est grand et spacieux !
Voilà les Apennins, et voici le Caucase. »
La moindre taupinée était mont à ses yeux.
Au bout de quelques jours le voyageur arrive
En un certain canton où Thétys sur la rive
Avait laissé mainte huître ; et notre Rat d'abord
Crut voir en les voyant des vaisseaux de haut bord.
« Certes, dit-il, mon père était un pauvre sire !
Il n'osait voyager, craintif au dernier point.
Pour moi, j'ai déjà vu le maritime empire :
J'ai passé les déserts, mais nous n'y bûmes point. »
D'un certain magister le Rat tenait ces choses,
     Et les disait à travers champs ;
N'étant pas de ces rats qui les livres rongeants
     Se font savants jusques aux dents.
     Parmi tant d'huîtres toutes closes,
Une s'était ouverte, et bâillant au soleil,
     Par un doux zéphir réjouie,

Humait l'air, respirait, était épanouie,
Blanche, grasse, et d'un goût, à la voir, nonpareil.
D'aussi loin que le Rat voit cette Huître qui bâille :
«Qu'aperçois-je ? dit-il, c'est quelque victuaille ;
Et, si je ne me trompe à la couleur du mets,
Je dois faire aujourd'hui bonne chère, ou jamais. »
Là-dessus Maître Rat plein de belle espérance
Approche de l'écaille, allonge un peu le cou,
Se sent pris comme aux lacs ; car l'Huître tout d'un
                                              [coup
Se referme, et voilà ce que fait l'ignorance.

Cette Fable contient plus d'un enseignement.
        Nous y voyons premièrement
Que ceux qui n'ont du monde aucune expérience
Sont aux moindres objets frappés d'étonnement ;
        Et puis nous y pouvons apprendre,
        Que tel est pris qui croyait prendre.

REMERCIEMENTS

Rien de plus intimidant, et de plus culotté, que tenter de raconter La Fontaine. Tant d'autres, depuis près de quatre siècles, s'y sont essayés ! Avec, souvent, de grands bonheurs.

Alors MERCI d'abord à mes illustres prédécesseurs ! Vous en trouverez la liste, scandaleusement rétrécie, dans la bibliographie qui suit.

Les MERCIS de cette page s'adressent à toutes celles et tous ceux qui n'ont pas ricané devant ma présomption.

Et notamment à Château-Thierry.

MERCI à Jacques Krabal, député maire de la ville. MERCI à Thomas Morel, le très jeune et très, très savant conservateur du merveilleux petit musée La Fontaine, logé… dans la maison natale du poète. MERCI à Martine Cathé, enseignante de lettres au lycée… La Fontaine, organisatrice des rencontres de Psyché, aussi généreuse qu'érudite.

Merci à la famille Madelenat qui m'a beaucoup

appris sur les relations entre La Fontaine et la musique et m'a montré le chemin des fermes.

Avoir été relu, et sévèrement corrigé, par ces personnes d'une telle qualité est un privilège.

MERCI aussi à Catherine Massip, ancienne directrice de la musique à la Bibliothèque nationale de France. Innombrables sont les mélodies que les Fables ont inspirées. Ensemble avec les Arts Florissants de William Christie et Paul Agnew, nous préparons un spectacle qui, déjà, me ravit.

MERCI à Laurence Bloch, directrice de France Inter. Est-ce elle, est-ce moi ? Qui a eu l'idée de saluer sur sa chaîne tout un été Jean de La Fontaine ? Qu'importe ! MERCI pour sa confiance. La vie de La Fontaine est aussi tellement bonne à *dire*. Et j'aime tellement, tellement la radio. Alors je me garderai d'oublier Xavier Pestuggia, le réalisateur magique des trente-cinq émissions que nous avons enregistrées ensemble. Cet homme, puits de culture, a l'oreille absolue. Tout le reste de ma vie je me souviendrai de son sourire, de l'autre côté de la vitre épaisse du studio : «C'est très bien, Erik, c'est vraiment très bien. On va donc la refaire. » Oh, la saveur inimitable de ce *donc*.

Et Alice ! Vous ne connaissez pas forcément Alice. Dommage, grand dommage pour vous. Alice (d'Andigné) est mon éditrice. Je veux dire mon alliée, ma complice, ma (très jeune) sœur. Bien plus savante que moi en Lafontainologie. Mais tout aussi amoureuse.

Sachez, pour la résumer, que personne mieux qu'elle ne mérite autant son prénom. Lewis Carroll, reviens ! Reviens rencontrer ton personnage. MERCI, Alice !

BIBLIOGRAPHIE

1) *Les Œuvres*

Vive les universitaires et les critiques ! Ils éclairent les textes et leur contexte d'une lumière toujours renouvelée. Le choix est difficile.

J'ai retenu, bien sûr, la Pléiade et la formidable édition dirigée par Jean-Pierre Collinet.

Mais aussi :

– Jean de La Fontaine *Fables* (Pocket classiques).

Préface et commentaires de Marie Madeleine Fragonard, suivis des annotations « au fil du texte » de Catherine Bouttier-Couqueberg. Un trésor d'érudition vivante.

– La Fontaine *Contes et Nouvelles* en vers (Folio classique). Une édition (richissime) d'Alain-Marie Bassy.

– La Fontaine *Les Amours de Psyché et de Cupidon* (GF Flammarion). Présentation de Françoise Charpentier.

Et comment ne pas mentionner les *Fables illustrées* par Jean-Baptiste Oudry (Diane de Selliers éditeur) ? C'est un enchantement permanent.

2) *La Vie*

Au moment de sa parution (1976), je m'étais délecté de la méticuleuse et merveilleuse biographie de Jean Orieux (Flammarion). Je l'ai retrouvée avec un bonheur et une admiration encore accrus. Quel travail, quelle perspicacité, quelles trouvailles d'archives et d'écriture ! MERCI à Monsieur Orieux. Il m'a guidé tout au long de ma petite promenade.

Beaucoup plus bref, le *La Fontaine ou Les métamorphoses d'Orphée* de Patrick Dandrey (Gallimard, collection Découvertes) est un apéritif plein de savoir et d'allant.

Pour, au-delà de l'auteur, raconter l'époque, rien ne vaut le chef-d'œuvre de Marc Fumaroli : *Le Poète et le Roi* (Éditions De Fallois, 1997), réédité en 2014 dans la collection Bouquins (Robert Laffont) avec cet autre texte magnifique *Quand l'Europe parlait français*.

Raymond Josse nous apporte des renseignements précieux sur la vie de La Fontaine à Château-Thierry (Société historique et archéologique, 1987).

Et pour le portrait d'un personnage clef dans la vie de notre ami, une biographie express : *Fouquet ou le Soleil offusqué* (Folio histoire, Gallimard). Dans tous les livres de son auteur, Paul Morand, on admire l'intelligence et la fulgurance du trait. Ici, c'est un traité d'acupuncture.

3) *Les analyses*

Pour plonger dans la mécanique intime des œuvres, nourrissez-vous des ouvrages, ô combien savants, de Patrick Dandrey : *La Fabrique des Fables* et *La Fontaine Œuvres Galantes* (Klincksieck, 2010 et 1996).

4) *L'œil confraternel*

Parmi toutes les innombrables déclarations d'amour reçues par notre ami, vous pouvez choisir celle que lui adresse un autre poète, Jacques Réda (Buchet Chastel, collection les auteurs de ma vie, 2016).

5) *Salut aux Anciens*

La Fontaine devant, comme l'on sait, beaucoup au monde latin, vous voyagerez vers la source en redécouvrant *Virgile, notre Vigie* de Xavier Darcos (Fayard, 2017).

MERCI, MERCI à tous ! Et pardon pour les absents : il a fallu choisir.

Table

et Christophe Guillemin,
Fayard, 1992 ; Le Livre de Poche.

Grand amour, mémoire d'un nègre,
roman, Éditions du Seuil, 1993 ; coll. « Points ».

Mésaventures du Paradis,
mélodie cubaine, photographies de Bernard Matussière,
Éditions du Seuil, 1996.

Histoire du monde en neuf guitares,
accompagné par Thierry Arnoult, roman, Fayard, 1996 ;
Le Livre de Poche.

Deux étés,
roman, Fayard, 1997 ; Le Livre de Poche.

Longtemps,
roman, Fayard, 1998 ; Le Livre de Poche.

Portrait d'un homme heureux, André Le Nôtre,
Fayard, 2000.

La grammaire est une chanson douce,
Stock, 2001 ; Le Livre de Poche.

Madame Bâ,
roman, Fayard/Stock, 2003 ; Le Livre de Poche.

Les Chevaliers du Subjonctif,
Stock, 2004 ; Le Livre de Poche.

Portrait du Gulf Stream,
Éditions du Seuil, 2005 ; coll. « Points ».

Dernières nouvelles des oiseaux,
Stock, 2005 ; Le Livre de Poche.

Voyage aux pays du coton,
Fayard, 2006 ; Le Livre de Poche.

Salut au Grand Sud,
en collaboration avec Isabelle Autissier,
Stock, 2006 ; Le Livre de Poche.

La Révolte des accents,
Stock, 2007 ; Le Livre de Poche.

A380,
Fayard, 2007.

La Chanson de Charles Quint,
Stock, 2008 ; Le Livre de Poche.

L'Avenir de l'eau,
Fayard, 2008 ; Le Livre de Poche.

Courrèges,
X. Barral, 2008.

Rochefort et la Corderie royale,
photographies de Bernard Matussière,
Chasse-Marée, 2009.

Et si on dansait ?,
Stock, 2009 ; Le Livre de Poche.

L'Entreprise des Indes,
roman, Stock, 2010 ; Le Livre de Poche.

Princesse Histamine,
Stock, 2010 ; Le Livre de Poche Jeunesse.

Sur la route du papier,
Stock, 2012 ; Le Livre de Poche.

La Fabrique des mots,
Stock, 2013 ; Le Livre de Poche.

Mali, ô Mali,
Stock, 2014 ; Le Livre de Poche.

Passer par le Nord,
en collaboration avec Isabelle Autissier,
Paulsen, 2014.

La Vie, la Mort, la Vie,
Louis Pasteur 1822-1895,
Fayard, 2015.

L'intégrale africaine d'Erik Orsenna,
réunissant Madame Bâ, Mali, ô Mali, Besoin d'Afrique,
Le Livre de Poche, 2015.

L'Origine de nos amours,
Stock, 2016.

Géopolitique du moustique,
avec le docteur Isabelle de Saint Aubin,
Fayard, 2017.

Réécoutez « La Fontaine, une école buissonnière »
d'Erik Orsenna sur France Inter ici :

Le Livre de Poche s'engage pour
l'environnement en réduisant
l'empreinte carbone de ses livres.
Celle de cet exemplaire est de :
200 g éq. CO₂
Rendez-vous sur
www.livredepoche-durable.fr

PAPIER À BASE DE
FIBRES CERTIFIÉES

Composition réalisée par Nord Compo

Imprimé en France par CPI
en décembre 2018
N° d'impression : 3031449
Dépôt légal 1re publication : janvier 2019
LIBRAIRIE GÉNÉRALE FRANÇAISE
21, rue du Montparnasse - 75298 Paris Cedex 06

83/1231/1